11 唐代
西元618～906年

［注音本］

全新 吳姐姐講歷史故事

吳涵碧◎著

目錄

【第245篇】建成和元吉聯手對付李世民。

太子建成及齊王元吉見秦王世民手下兵多將廣，對付不易。有意把世民秦王府中的大將，一一拉攏過來。他們第一個選中的對象，是齊王元吉曾被擊敗的尉遲敬德。（也是小說之中有名的尉遲恭。）

尉遲敬德對一車金器和一車銀器，以及唾手可得的左二副護軍的官職，都不屑一顧。他一口回絕道：『敬德本是貧賤之人，遭遇到隋朝末年離亂，久淪於劉武周屬下，罪該萬死。承蒙秦王賜以再生的大恩，今天我又得列名於秦王府邸之中，應該殺身以報秦王的恩澤。至於對殿下，我沒有任何的功勞，不敢接受這樣厚重的賞賜。如果我私下與殿下結交，爲了私利，忘記忠義，這種人也太無恥了，不值得殿下所用。』尉遲敬德斬釘截鐵的表示沒有興趣。

在上一篇中，我們說到：曾經有人懷疑尉遲敬德的忠貞，建議把他殺了，虧得世民保全，撿回一命。由此可見，李世民的確知人善任，而尉遲敬德也沒有辜負李世民的厚望。

太子建成碰了一鼻子灰，氣得當場與尉遲敬德絕交。

尉遲敬德把這一段經過報告秦王李世民，世民一方面讚佩他的忠心，一方面又爲他的安全顧慮。他嘆了一口氣道：『你心如山嶽一般牢穩，就

算是用再多的黃金，也不能動搖你的心志。因此，太子送來的寶物，不妨收下。同時可以藉此了解他們暗藏的陰謀，豈非良策。像現在這樣，恐怕會有大禍降臨到你的頭上。』

按照道理來講，李世民所說的，比較有助於大事。但是，尉遲敬德乃一性情爽朗耿直的武人，他可不管這樣多，他聽說太子建成派了刺客要來暗算。乾脆，每晚睡覺，打開大門，等著刺客上門。

當刺客夜晚到了尉遲敬德家中，發現各層大門都敞開著，他老兄睡在裡面安臥不動，鼾聲如雷。這一下子，刺客反而不敢前進。尤其尉遲敬德以武功高強著稱，誰曉得裡面暗藏了什麼機關。

刺客一連幾個晚上準備去殺人，卻又三番兩次自己被自己給嚇了回來。建成殺不掉尉遲敬德，上了一個報告說是他要造反，尉遲敬德再度被捕，因爲李世民的搭救，才倖免一死。

太子發現秦王府中的僚屬個個都忠心耿耿，要用金錢收買不太可能，所以他改變策略，既然這些人不肯爲太子所用，他也不能讓李世民所用。他對齊王元吉說：『其實，秦王府中的謀略之士，眞正可怕的，也不過是房玄齡和杜如晦兩個人罷了。』

接著，太子建成又重施故計，在唐高祖面前惡意毀謗房、杜二人。果然，如願以償，把這兩位才大智大的謀略之士，趕出了秦王府。

正在這一個時刻，突厥再度入侵，圍住了烏城。往常，突厥入侵都是秦王李世民率軍抵抗。這一次，太子建成向高祖建議，改由齊王元吉代替世民北征。

唐高祖採納了建成的建議之後，元吉以麾下力量薄弱爲理由，向李世民借調尉遲敬德、程知節、段志玄及秦王府右三統軍等大將同行。並且檢閱秦王世民帳下最精銳的部隊；挑選能征善戰的士兵，壯大元吉的聲勢。

爲著抵抗外侮，李世民當然沒有不肯借將的道理。可是，過了不久，有一個叫王晊的人前來密報：『我聽說，太子告訴齊王元吉：「現在你得到了秦王的驍將精兵，擁有數萬之衆，力量雄厚。當你開拔之前，我與世民相約在昆明池爲你餞行。這時候，我們派出兩個壯士，把繩子繫在世民的頭頸上面。然後，兩人各拿著繩子的一端，這麼用力一拉，世民的腦袋還能不完蛋嗎？然後對皇上報告，世民暴卒也就是了。」』

秦王府中的人，聽說李建成又有新陰謀，心中都十分緊張。長孫無忌等勸李世民先下手爲強。

李世民還是猶豫不決：『骨肉相殘，爲古今第一大惡，我當然清楚禍在旦夕之間，可是，唉……』

太子建成三番兩次意圖謀害世民，秦王府中的人早已不滿，紛紛勸世民舉兵，可是世民總是硬不起心腸。

尉遲敬德看世民依舊進退兩難，怒由心生：『天下哪有人不怕死，現在我們這夥人冒著生命危險擁護大王，正是上天給你的大好機會。如今禍亂隨時就要爆發，而你還不以爲憂。好吧，就算大王自己看輕自己，也應該爲國家社稷著想。』

世民依然未置可否，不發一言。武人出身的尉遲敬德可沉不住氣了：

『大王不肯聽從敬德之言，敬德將逃奔到江湖之上，當一個亡命之徒，可不能再留在大王左右，像這樣把自個兒的雙手綁在一起等死。』

『對！不聽敬德之言，事情一定會要失敗。我，也要走了。』長孫無忌也用激將法來刺激世民。

又有人問李世民：『大王以爲舜是怎樣的人？』

『聖人。』世民立刻回答。

『好！假如當舜的後母把他淹在水裡，舜不逃出，則爲井中之泥；當舜在倉庫上油漆，後母在下頭放火，舜不逃出，則被活活燒爲灰燼，怎能安定天下？所以，孔子說：爲人子女被父母用小杖鞭打不妨忍受，被大杖答打時，應該要逃，否則是不孝，你還考慮什麼呢？』

秦王府的文臣都紛紛主張該下手自衛，否則大禍即將來臨，李世民也瞭解局勢的危急，可是該如何自衛呢？

閱讀心得

【第246篇】

玄武門之變。

在太子建成以及齊王元吉，三番兩次意圖殺害秦王李世民，因此秦王府中的僚屬紛紛建議世民除患之際，可是，李世民卻一直猶豫不決……。『這樣好了，我們用龜卜，來卜一卜是吉是凶。』李世民命令手下搬來了龜卜。

此時，僚屬張公瑾自外頭走進來，拿起龜，摔到地上說：『有可疑的事，才要用卜，現在這事沒有什麼好猶疑了，何必用卜！如果卜而不吉，難道我們就不舉事了嗎？』張公瑾的話一點不錯，大家都點頭稱是，於是，世民下定決心，準備動手了。

一天晚上，尉遲敬德跑去對長孫無忌說：『王已決計起事，你趕快前去共謀大計。不過你我，以及房玄齡、杜如晦四個人，不可以一塊兒去見秦王，免得在路上被發現，給予太子和齊王起了疑心。』

於是，房玄齡和杜如晦兩人換上了道士服，跟著長孫無忌悄悄進入了秦王府。另外，尉遲敬德從另外一條小路也趕了來，他們四人與李世民共同決定了起事的步驟。

第二天一大早，秦王李世民密奏唐高祖，建成和元吉私下與高祖妃嬪要好，淫亂後宮。並且說：『臣沒有絲毫對不起太子和齊王，現在他們一

心一意要殺掉兒臣，簡直是要爲王世充、竇建德報仇。兒臣如果今日冤枉而死，永遠見不到父皇，魂歸地下，連見到賊人都覺得羞恥。』

唐高祖聽了大吃一驚，雖然太子建成與齊王元吉和妃嬪張婕妤、尹德妃之事大家都曉得，可是高祖並不知情。李世民爲人厚道，也一向不願意拆穿。所以高祖楞了好半天，方才說：『明天你早些上朝，我要把這件事問一個明白，我怕是你們兄弟之間誤會太深了。』

高祖妃嬪張婕妤得到消息，趕緊密報東宮。太子建成立刻找來元吉商量對策。元吉說：『我們應該擁兵自衛，明天託病不進宮去，以觀察情勢的變化。』

『不，我們不能示弱，如果不進宮，父皇就會相信世民的話，何況，你別忘記，皇宮的禁衛軍指揮官常何是我的老部下，他効忠於我，所以，皇宮是我的勢力範圍，我怕甚麼！』太子建成自信地說。

第二天，也就是武德九年六月四日，天還沒亮，李世民率領長孫無忌、尉遲敬德等人悄悄進入皇宮北面的玄武門，人人手持刀箭，埋伏在玄武門大道兩旁的樹林中。

不久，建成和元吉也到了玄武門，依照規定，隨從不得入宮，所以建成和元吉兩人各騎一匹馬進入玄武門，他們完全沒有料到已經踏入了陷阱。

這玄武門爲太極宮的北正門，乃天子禁衛軍指揮部門所在之地，誰要能控制了玄武門的禁衛軍，誰就能控制皇宮。

玄武門的守將常何，原是太子建成的舊部屬。因此，建成十分放心，殊不知常何投靠了秦王李世民。這才使世民能夠帶了人馬進入玄武門，而且埋伏起來。

依照慣例，皇子們都是由玄武門入宮，所以李世民很篤定地在樹林裏等建成和元吉的來到。

天也漸漸亮了起來，玄武門大道上傳來清脆的馬蹄聲，建成和元吉騎在馬上，昂首前進。

等到建成和元吉到了臨湖殿，發覺事態不對，兩足猛蹬馬腹，準備逃回東門時，李世民騎馬趕來，元吉著急地想要拉開弓箭射殺世民，愈急愈拉不開了，一連拉了三次，都是徒勞無功，大驚之下，策馬而逃。

李世民的箭比普通的箭大一倍，再加上箭法高超，一箭就把太子建成刺了一個穿心過，太子建成當場墜馬斃命。

接著，尉遲敬德率領騎兵七十人趕來，亂箭之中把齊王元吉射下馬來，世民的馬跑入林中，人卻被樹枝牽纏，墜下馬來，元吉這時正好趕到，舉刀就要砍向世民。

正在這個千鈞一髮的當兒，尉遲敬德快馬奔到，大吼一聲，元吉嚇了一跳，刀還沒有砍下，尉遲敬德已經一箭射入，元吉立刻倒地身亡。

這時東宮和齊王府的將軍馮立、副護軍薛萬徹等聽說玄武門有變，立刻進攻玄武門，於是玄武門守軍和東宮齊王府軍隊兩軍展開一場大混戰，薛萬徹等攻不進玄武門，鼓譟著要改攻秦王府。世民的部下大懼，尉遲敬德提著太子建成及齊王元吉的兩顆人頭，站在玄武門上大呼：『你們的太子和齊王都已經死了。』於是，東宮和齊王府軍隊因之潰散。

唐高祖此時正在皇宮內泛舟遊湖，不曉得外頭出了大事，一直到世民派尉遲敬德擐甲持矛，領兵前來拱衛，方才大驚地問道：『今日是誰爲亂，卿來此爲何？』

『秦王因爲太子、齊王作亂，舉兵制裁，恐怕驚動陛下，特派臣前來護衛。』尉遲敬德恭敬的回答。

唐高祖一聽非同小可，嚇得就差點沒有掉落湖中。他嘆了一口氣，對船上的裴寂說：『沒有想到竟然出了這種悲慘的事，你看怎麼辦呢？』

身旁的蕭瑀、陳叔達道：『太子和齊王二人，本來就對建立唐朝沒有太大功勞，又嫉恨秦王世民的功高望重，共爲奸謀。現在，秦王已討而誅殺。何況秦王功蓋宇宙，天下歸心，只要陛下讓他當太子，委以國務也就沒事。』

唐高祖想了一想，如今也沒有其他辦法了。只好說：『好吧！這反正也是我原來的意思。』

此時，一部分建成和元吉的部下，與秦王世民的軍隊，仍在長安打得難分難解。尉遲敬德請求唐高祖下一道手詔，命令諸軍俱受秦王的指揮，免得亂事繼續擴大，更加不可收拾。於是，高祖下詔內外諸軍皆受秦王指揮，並且派黃門侍郎裴矩到東宮去告知將士們，於是東宮們才停止作戰。

閱讀心得

【第247篇】唐太宗不念舊仇。

唐高祖正在泛舟遊湖，忽然聽到尉遲敬德傳來消息，太子建成以及齊王元吉被殺，玄武門發生流血政變，大驚失色！

然而，事已至此，無可挽回。他只好派宇文士及向大家宣佈：一切聽命於秦王世民，然後召見世民。

世民來了，高祖拍拍他的肩膀道：『近日以來，我幾乎有投杼之惑，眞是難爲你了。』

何謂投杼之惑？原來在《戰國策》之中有一段故事：孔子的學生曾參居住在費這個地方，剛好有同名同姓的另一個曾參殺了人。人們聽到消息，立刻跑來告訴曾母說：『曾參殺了人。』

曾母不相信，可是一會兒連著有三個人來報告曾參殺人，曾母不由得相信了。丟下杼（爲古代織布的機器），跳牆而走。

唐高祖講這段典故的意思，是表示謊話說得次數多了，使人不得不相信，用此來解釋自己當初聽信建成和元吉的讒言，錯怪了世民，是情非得已的。

世民不發一言，默默的跪下來，哀哀痛哭。高祖摸摸世民的頭，表示諒解。

三天之後，唐高祖正式立世民爲皇太子。同時下詔：『自今軍國庶事，悉委太子處決。』這位新的太子，就是歷史上赫赫有名的英主——唐太宗。

唐太宗的『玄武門之變』是他個人完美生命之中的汙點。然而我們在前面，陸續的介紹了太子建成及齊王元吉如何三番兩次陷害他。他發動玄武門之變，雖非好事，實在情不得已。古代的皇位是至高無上的，而且具有強烈的排他性。同時，宮中的王子們，各人有各人的宮殿，從小不生活在一塊兒，沒有什麼手足之情。爲著爭奪帝位，歷代骨肉相殘的例子很多。李世民的奪位，只不過是其中一個案例而已。

世民當上太子以後，把秦王府中的功臣一一授予重要官職。然後，他突然想起以前的太子建成，手下有一個很厲害的角色——魏徵，時常出主意，想要把他置於死地。

魏徵小的時候，家中貧苦，胸中有大志，不事生產，無以爲生，只好出家當道士，鑽研學問，尤其精通縱橫之說。

到了隋朝大業末年，武陽郡丞元寶藏舉兵響應李密。元寶藏用魏徵掌書記，做得十分出色，被李密看上了，留在身邊。

魏徵曾上過十個策略，指點李密如何去用兵，可惜李密沒有使用這些計謀。後來，李密失敗了，魏徵隨著李密投降唐朝。太子建成素聞魏徵的才能，請他擔任洗馬，對待他十分禮遇。（洗馬是太子東宮的一個屬官，他的職務並不是洗刷馬匹，在古書之中，『洗』與『先』常常互用，『洗馬』其實是『先馬』，也就是太子出行時，騎馬在前面導引的人，後來，『洗馬』

這官職並不是眞正要導引先行，而演變爲參謀人員。)

世民看了魏徵一眼，冷冷說道：『你以前爲什麼在我兄弟之間挑撥離間，製造事端？』

在旁的人都在猜想，這一會兒魏徵可要大禍臨頭了。沒有料到魏徵竟然神態自若，絲毫不以爲意的擡起頭道：『先太子早聽從魏徵之言，必無今日之禍。』

言下之意，他對於當初建議太子殺世民，非但沒有悔意，甚且還暗示，如果不是建成未聽忠言，哪兒輪到世民當皇帝。

旁邊的人聽到魏徵的狂言，莫不目瞪口呆，心想魏徵這小子可死定了。沒有想到世民對他十分嘉許，不僅沒有處罰，反而任命爲詹事主簿。

世民的度量寬宏，這是一般人所趕不上的，可是其他人並不了解於此，不斷有人密報某某、某某爲建成、元吉的餘黨。雖然朝廷一再頒發赦令，還是有人爭爲告發及捕拿，希望能夠藉此討賞。

世民不勝其煩，下了一道命令：『誰再密告就要處罰誰。』同時，派遣魏徵前往山東河北一帶宣慰，並且准許任意處置。（山東、河北一帶是太子建成的勢力，餘黨很多。）

魏徵走到磁州，剛好遇到州縣捕快正在解送以前太子建成的千牛李志安，以及齊王元吉的護軍李思行等人到京師。

『當我受命之日，以前太子及齊王府中的左右都被大赦，現在又在解送李思行等人到京師。這樣的作爲，民間怎能相信朝廷不準備辦前太子的餘黨。那麼，有關的人，必定內心不安！』魏徵一面搖頭，一面嘆息。

於是，魏徵自作主張，把這些犯人都給放了，並且說：『我不能為了擔心自身的前程，而不顧慮國家的安危。既蒙太子世民用國士之禮相對待，我也要以國士之禮相報答！』

魏徵此舉，的確有些兒冒險，他自己以前曾為建成的手下，如今又擅自放走建成的大將。如果換了其他的人，很可能懷疑魏徵的用心。可是，世民不但不怪罪，反而卻十分讚賞魏徵的作風。

玄武門之變後的兩個月，唐高祖傳位給世民，自己退為太上皇。世民即位，改明年為貞觀，他就是震古鑠今的唐太宗。在他臨朝的二十三年之中，是中國歷史上最為輝煌的時代。君臣之和睦，民生之富裕，文治武功之鼎盛，為史乘所罕見，史稱『貞觀之治』。一直到今天，中國人仍自稱為唐人，海外有唐人街，也就是懷念唐朝的豐功偉業。

閱讀心得

【第248篇】

唐初第一功臣房玄齡。

從西元六二七年，到西元六四九年，在唐太宗臨朝的二十三年之中，史稱爲『貞觀之治』。中國的國勢如日中天，唐太宗可以稱之爲歷史上最偉大的一個皇帝。

有些史家認爲：唐朝之所以享有盛名，不只是因爲太宗個人的神文聖武，而是因爲有那麼多的賢臣良將。此話固然不錯，但是爲什麼上天這樣的不公平，把所有忠臣賢相都聚集在太宗一朝？其實，這是因爲唐太宗知人善任，才能提拔人才。

每一個人都有優點和缺點，唐太宗不挑剔人們的短處，盡是發掘其長處，所以人人樂於効命。太宗朝中用人極爲複雜：有他的親屬，有他父親的仇人，有他自己的敵人，還有不少與他爭天下的群雄將領，以及隋朝的舊官吏，他把這一批來源不同的人合在一塊，同心合力爲國効力。在貞觀十六年，唐太宗曾將二十四位功臣的圖像畫在凌煙閣之上。從這一篇起，我們逐個介紹治世能臣和安邦武將，大家可以由此窺知『貞觀之治』的盛況，也學習太宗的領導藝術。第一個要介紹的是被太宗命爲第一功臣的——房玄齡。

房玄齡，是歷史上赫赫有名的賢相。他是齊州臨淄人，家學淵源，父

親房彥謙對五經極有研究，曾經在隋朝擔任過涇陽令。

房玄齡幼小時候，十分聰敏好學，博覽經史，一手草書和隸書寫得相當漂亮。

他在幼年時代曾經隨從他父親到京師，當時隋朝聲勢浩大，天下安寧，人們都以爲國祚能傳得極久。可是，房玄齡卻看出不對勁，他避開左右，悄悄的對父親說：『目前雖然海內清平，但是隋朝的敗亡，我們可以蹺起二郎腿，馬上就可看到。』

房彥謙聽了，驚訝得說不出話來。後來，果然不出房玄齡所料，隋朝只傳了短短三十八年就短命而亡。

在十八歲那年，房玄齡考取了進士，吏部侍郎對他十分誇獎，一再對人說：『我這輩子閱人多矣，沒有見過像他這般傑出的，將來必定是國家的偉器。』

不久，房玄齡的父親重病，躺在病榻之上拖了三個多月，在這一百天之中，他盡心侍候湯藥，整個人都瘦了一圈，憔悴不堪。然而，還是沒法把父親從死神手上救回。當父親過世之後，整整五天，他無法進食，不能喝水，眞是忠臣必出於孝子之門。

因爲房玄齡極爲痛恨隋朝的暴虐，所以，當時李淵起兵，太宗李世民經過渭北之時，他就毛遂自薦。太宗與他相談之下，立刻一見如故，十分投機，馬上命他擔任渭北道行軍記室參軍（差不多是現在的機要祕書）。

房玄齡遇到知己，心裡頭感激萬分，特別盡心盡力的去辦事。每一回太宗帶兵平定賊亂，大夥總是被珍珠寶貝迷花了眼，一心只求太宗世民多賞一些，或者乘機拿一些塞入口袋之中，發筆橫財。

當衆人捧著珠寶，嘖嘖稱奇，把玩讚賞之時，房玄齡總是不聲不響的先去找尋有關文件，再來探訪當地人才，把他們納入幕府之中。若是碰到能幹的謀臣猛將，他一定想辦法與之結交，要他們死心塌地的爲世民効力。

後來，李世民因爲功勞太大，引起太子建成及齊王的嫉恨，三番兩次想把太宗置之於死地。有一次，太宗到建成那兒吃飯，竟然中毒而歸，秦王府中十分震駭。

太宗扶著虛弱的身子召見房玄齡，房玄齡爲太宗分析：『爲國者不顧小節，如今不能不起事。』太宗終於被說動了，遂發生玄武門之變。

在太宗還是秦王之時，曾在秦王府中設立了一個文學館，裡面都是賢良方正的文學家。除房玄齡外，還有杜如晦等十八人，被稱爲十八大學士，共分爲三班，每天六個人值班。太宗對這些讀書人非常尊重，每天批完公事，回到文學館與這些學士暢談軍國大事，爲政治國之道，往往到夜深人靜，仍然不肯離去。

房玄齡是個文人，但是每回當太宗出兵打仗，他都跟著去，運籌帷幄，挺有一套。他尤其善於寫軍書，因爲才思敏捷，一揮而就，從來也不必打草稿。

唐高祖曾對身邊的侍臣說：『此人深識機宜，足以堪當大任，每次爲我兒子陳述事情，必定能夠體會人心，即使是在千里之外，也好像當面耳語一般。』

貞觀元年，唐太宗即皇帝位，論功行賞，以房玄齡、杜如晦、尉遲敬德、侯君集等五人爲首，而房玄齡排名第一，進封爲邢國公。

唐太宗知道：人人都自以爲功高一等，如此分封必有人不贊同，於是對諸功臣道：『朕敍公等勳效，量定封邑，恐怕不能完全恰當，大家可以各自提出意見。』

太宗的叔父李神通，立刻跳了起來，氣虎虎的說：『當義旗初起，臣率兵首先趕至，現在房玄齡、杜如晦不過動動刀筆，竟然功居第一，是臣很不服氣……』

『義旗初起，叔父雖然首先舉兵，可是等到竇建德吞噬山東，叔父全軍覆沒；劉黑闥再起，叔父又望風奔北。玄齡籌謀帷幄，有定社稷之功。所以漢代的蕭何，雖然沒有汗馬軍功，卻是功居第一。叔父雖爲至親，可是朕不得濫用私情。』太宗明快的加以解說。

旁邊的丘師利將軍等以爲分封不公，正在指天劃地，吵鬧不休，聽到太宗責備李神通理曲之後，互相告誡：『陛下如此公正，不私其親，我們還有什麼好爭的！』

至此，房玄齡爲唐初第一功臣，大家不再有何異議。

閱讀心得

【第249篇】李緯的漂亮鬍子。

在中國的歷史上，如果論起房、杜，唐朝以後的人莫不舉起拇指，稱太宗用房杜二人爲左右僕射，有如太宗的左右手，造成貞觀之治的盛世。

唐太宗最大的長處，是有容人之量，他手下的第一功臣房玄齡也是如此。在上篇之中，我們說過，房玄齡在幫助唐太宗打天下的時候，經常留意延攬人才。唐朝建立之後，他依舊如此，杜如晦就是他找來的好夥伴。

我們中國人的智慧一向很高，可惜沒有合作精神，尤其心胸狹窄，容不下旁人，見不得人家好。房玄齡就不是這樣，他喜歡提拔人才，而且看到別人做了好事，讚美不已，到處訴說宣傳，眞正具有成人之美的精神。

唐太宗最了解房玄齡願意提拔才俊，卻又沒有鄉愿的胡亂吹捧的作風。

有一次，唐太宗離開京城，住在翠微宮之中，任命司農卿李緯爲民部尚書。當時，房玄齡在京城留守。

過了一兩天，有一個人從京城裡到翠微宮來。唐太宗問道：『玄齡聽說李緯拜尚書之後，有什麼感想？』（拜是任官的意思。）

來人想想，困惑的表示：『玄齡只一直在說，李緯有一把漂亮的好鬍子。其他，什麼也沒說。』

『糟了！』太宗一聽此言，立刻把李緯從民部尚書的職位上面摘了下來，改授爲洛州刺史。因爲太宗知道：房玄齡一向絕不吝嗇誇獎新進，如果李緯是一個人才，他一定讚不絕口。如今他什麼話也沒有說，只道他有一把好看的鬍子，是一個美髯公。意思是說，此人一無可取，虛有其表……。

房玄齡爲人寬厚，不願意明言李緯無能。聰明的太宗，卻能猜中他的心事。君臣二人的默契是第一流的。

他除了擔任良相之外，更監修國史，修改法律。他認爲：前代法律之中規定兄弟分開居住，如果有賜官爵等餘蔭，輪不到頭上，萬一謀反可要連坐一塊處死，太不公平。應該改爲不論祖先或是兄弟凡是連坐牽連，只要流徙邊疆，不用處死。因此，天下死刑減去大半。他又削去許多危害人民不合理的法律，重新整理。因而唐朝的法律公正嚴明，是很有名的。

房玄齡不但自身顯赫，而且他的女兒嫁給韓王，貴爲王妃；他的兒子房遺愛，娶了太宗的女兒高陽公主，拜爲駙馬都尉。房玄齡在貞觀十三年，加太子少師之後，他就屢次請辭相職。尤其皇太子要對老師行拜禮，他不敢當，躲回家中，時人都讚美他的謙讓之風。

太宗在貞觀十六年，又命房玄齡與姚士廉等一塊兒撰寫『文思博要』，寫成之後，太宗重重予以賞賜，進拜司空，仍舊掌理朝政，也依然監修國史。房玄齡擔心太過顯貴，又再上表陳讓。

太宗還是不肯放人。他說：『公知進能退，值得嘉獎，然而國家久相任使，一朝忽無良相，如失兩手。公如果精力不衰，還是勉為其難吧。』

既然唐太宗如此誠懇，房玄齡也不好再推辭。到了貞觀十七年，再加贈太子少傅之官。太宗對自己能用房玄齡十分得意。當他在親征遼東之前，寫了一個手詔給他：『公當蕭何之任，朕無西顧的憂慮。』

蕭何是漢高祖手下的能臣，太宗委以蕭何之任以後，凡是軍戎器械，戰士糧草，一切後勤任務，完全交給了房玄齡。太宗能用人，也信任手下。房玄齡擔任這項重責大任，把一切都辦得妥妥貼貼。

到了貞觀二十二年，房玄齡舊疾復發，無法上殿，只能坐在擔架之上讓人擡著走。快要到御座之前，才一步一步吃力的走下來。

太宗看到他那樣老邁龍鍾，步履艱危的模樣，忍不住哭了起來。房玄齡也默默流下了眼淚，心中感觸萬千，卻一個字也不能說。太宗立刻命令找最好的名醫爲他看病，而且每天供應御膳中的食品進補。

自此以後，太宗天天垂問病情，如果房玄齡的病情稍稍好轉，唐太宗臉上馬上露出笑容。如果聽說病情轉劇，臉色立刻黯淡悽愴。

從古以來，很少有皇帝這樣關懷臣下的，房玄齡感動萬分，他對兒子們說：『皇上如此對我，我如果辜負聖君，死有餘責。現在國家一切得宜，只有東征高麗爲國之大患，皇帝意志堅決，臣下沒有人膽敢犯顏阻止，我如果不說出來，那眞要抱著遺恨到九泉了。』

於是，他拖著病體，上表諍諫，家人都看著不忍，卻沒有人敢去阻止。

太宗看到這張表，嘆著一口氣，對著高陽公主，也就是房玄齡的媳婦說：『看這個人啊，病成這個樣子，還在爲國家大事憂心。』

房玄齡雖然家大業大，從來絕不以此炫耀，而且再三告誡子孫，不可以驕奢沉溺，不能去盛氣凌人。他還搜集了許多聖賢的治家格言，書寫於屏風上，命令各人取一具說：『如果能夠留意屏風上的字句，足以保身成名。』

由此可見，房玄齡不止是一代賢相，他的人格操守，也是值得我們後世景仰。

閱讀心得

【第250篇】唐太宗夜夢杜如晦。

上兩篇介紹過了房玄齡，就不能不接著講杜如晦的故事。因房杜一體，房知杜能斷大事，杜知房善建謀略。唐太宗善用房杜，乃中國歷史上著名的一段佳話。

杜如晦從小聰明，悟性很高，喜歡和朋友談論文章，評述歷史。隋朝的吏部侍郎高孝基對他十分器重，一再的誇譽：『公有應變之才，當為棟樑之用。』的確，腦筋清楚，善於判斷，正是杜如晦最大的長處。

唐太宗平定京城之後，將杜如晦引進秦王府擔任兵曹參軍。不久，杜如晦又被調爲陝州總管府長史。當時，因爲太子建成及齊王元吉的妒忌唐太宗李世民，秦王府中的才俊之士被調開的很多。唐太宗心裡頭很是著急。

有一天，他對房玄齡發牢騷，抱怨秦王府中的人才遠去。

房玄齡說：『秦王府中的府僚離開的雖然很多，但不足以惋惜。只是其中一位叫杜如晦的，此人聰明識達，是個眞正佐王之才。如果大王只想要守住藩位，他幫不上什麼忙；可是如果想要經營四方，稱霸天下，那就非用此人不可。』

太宗大吃一驚道：『如果你不說，我差一點要失去此人了！』於是，立刻把杜如晦調爲秦王府的府屬。

以後，唐太宗討伐劉武周、王世充、竇建德的戰役，杜如晦都擔任參謀。在軍國多事之秋，杜如晦每次都能下定重要而正確的判斷，深深爲同輩所折服。

後來，唐太宗在秦王府中建立了一個文學館，杜如晦也以陝東道大行臺司勳郎中的本官兼任文學館學士。唐太宗對文學館之中十八位學士都非常敬重，曾經請了唐朝大畫家閻立本爲他們畫像，名列第一的就是杜如晦。

秦王府中雖然人才濟濟，可是最有才能的就是房玄齡與杜如晦。因此，太子建成曾經氣憤的對齊王元吉說：『秦王府中最可怕的，就是這兩個人。』又知道他二人對唐太宗忠心耿耿，收買不易，所以到唐高祖面前去搬弄是非，把房杜二人趕出了秦王府。

等到唐太宗發動玄武門之變，登上了皇帝寶位，房杜二人更發揮了合作精神。唐朝的臺閣規模及典章文物的制定，大半皆出於此二人之手。前面說過房玄齡心胸寬大，具有成人之美的德行。唐太宗每次與房玄齡談問題談到最後，房玄齡總是說：『這件事還不能就此決定，要等到杜如晦來才能定案。』

等到杜如晦來了，又常採用房玄齡的策略。這是因爲房玄齡的謀略多，構想也多。而杜如晦善於下定判斷，權衡利害得失，決定一個最適合的方案。兩人同心爲國，深受太宗的重視，難怪有貞觀之治的盛況。

我們中國人智慧超人一等，可是往往沒有容人的雅量，最看不得別人出頭，房杜二人可沒有文人相輕的壞習氣，走到哪兒都是彼此標榜，互相誇獎，都把功勞推給對方。因此，我們後代人論起賢相必先稱讚房杜，其實房杜是兩個人的名字。

貞觀三年的冬天，杜如晦忽然病倒了，上表請求解除職務，太宗准許請辭，不過俸祿等依舊供給。這也是唐太宗爲屬下愛戴之處，他處處爲下面的人著想，難怪臣子們也都心甘情願的爲他効勞。

唐太宗廣求天下名醫爲杜如晦治病，所用的都是最爲名貴的藥材，可是病況始終不見起色。到了貞觀四年，病況更加重了，唐太宗先派太子慰問，又親自前往探視病情，握著杜如晦乾枯的手，流下了淚珠。事到如今，沒有什麼可以爲杜如晦做的了，太宗只有又賜絹千段，再把杜如晦的兒子升爲高官。

杜如晦死得很早，只有四十六歲就歸天了。太宗哭得傷心極了，爲此廢朝三日不上班。追贈杜如晦爲司空，封榮國公。

唐太宗並且對著作郎虞世南說道：『朕與如晦，君臣義重，追念勳舊，痛悼於懷，請你體察我的心意，製作一塊碑文來紀念他。』

後來，有一次，唐太宗吃了一個上貢的瓜，甜美多汁，而且有一股說不出的芳香。他當時的第一個念頭是：該切一半給杜如晦享用，讓他嘗嘗人間美味。繼而憶起：杜如晦已在九泉之下，如何能再共享瓜果。太宗一時悲從中來，胃中翻湧，喉頭阻塞，一口也吃不下去了。只好派人把剩下的甜瓜，供到杜如晦的靈前。

過了幾天，他賜給房玄齡一條黃銀帶，想起房杜本來就是都在一起的，嘆了一口氣道：『想起往昔，如晦與公同心輔朕，今日所賜，唯獨只見公一人。』說著，說著，聲音都變了。

接著，太宗又說：『不成，黃銀帶不可賜給杜如晦，聽說黃銀帶爲陰間鬼神所畏懼。』馬上又派人改換一條黃金帶，放在杜如晦的靈前。

有天夜晚，唐太宗又夢到杜如晦。第二天，他趕緊派人把房玄齡找了來，大談夢中所見，君臣二人相對唏噓不已！太宗又命人送上御食到杜如晦墳前祭悼。

看到唐初房杜之間的親愛精誠，太宗與臣子之間的情深義重，君臣一體，上下合作，爲天下服務，這樣的同心合力，無怪乎有貞觀之治。如果我們政府之中也能如此，如果我們民間也是這樣的奮發合作，我們當然可以再造貞觀之治的盛況，重建中華的聲威。

閱讀心得

【第251篇】

李靖、紅拂女、托塔天王。

提起李靖，大家或許會覺得十分熟悉，因爲在《虬髯客傳》、《封神演義》、《西遊記》及《薛仁貴征東》幾部著名的小說之中，都有李靖。

《虬髯客傳》是唐朝晚期杜光庭所寫的一篇俠義小說，內容是講隋朝末年楊素當權。有一天，李靖求見獻策，發現楊素的身邊，站著一位絕色美人，手執著紅色拂塵，站在一旁，默默的注視著李靖，原來她是楊素的藝妓。

後來，李靖歸去，到了晚上，紅拂女夜訪李靖。李靖得此佳麗，大喜過望，兩人私奔而去。途中，有一天紅拂女正在床前梳那把拖到地的烏亮長髮，忽然發現有一個赤髯如虬的莽漢，騎著驢子而來（虬原意爲有兩角的龍，後形容捲曲）。相談之下，三人結拜爲兄妹，本來準備起事，後因虬髯客聽說『太原眞英主也』（指的是唐太宗），於是放棄了起事反隋的行動，遠走東南。並且說『今後十年之間，如果聽說東南方面有什麼奇異的事，那就是我虬髯客得意的時刻了。』然後，飄然而去。

由於杜光庭把李靖、紅拂、虬髯客三位主角寫得分明又生動，成爲家喻户曉的故事。以後戲劇中的『紅拂夜奔』、『風塵三俠』、『太原三俠』，都是描述這一段故事。事實上，楊素去世時，隋朝的江山尚未起變化，與史

實不合。李靖的夫人是否委身於楊家的藝妓紅拂女，歷史上沒有記載。

在明朝人陸西星所著的小說《封神演義》之中，李靖由肉身成神，話說李靖夫人生下金吒、木吒二子，生活愉快。後來夫人又懷孕，夢見道人送子，生下一個如輪般的肉毬怪胎。李靖拿刀一劈，肉毬之中跳出一個男嬰，手戴金鐲，肚圍紅綾，滿地到處亂跑。原來怪嬰是乾元山金光洞太乙眞人的弟子靈珠的化身，取名叫作哪吒。最後，李靖父子四人都成爲神仙，這就是民間供奉李靖爲托塔天王及哪吒三太子的由來。

至於明朝吳承恩所寫的《西遊記》一書之中，李靖身居托塔天王的官職，成爲武神的領袖。在《薛仁貴征東》一書之中，李靖又搖身一變爲香山老祖的門人。

在民間的傳説之中，李靖是一位極有法術的大道士，並且爲太上老君嫡傳第三十八代弟子李淳風的門人，眞是愈扯愈離了譜。其實，李靖是人，不是神仙，把他渲染爲有道行的道士，實在是侮蔑了他『才兼文武，出將入相』的功績。正如同諸葛亮一般，許多人只知他會呼風喚雨，法術無邊，反而不明白他『鞠躬盡瘁，死而後已』對國家的一片忠誠，可以説得上是本末倒置。吳姐姐講歷史故事的目的，也就是希望與大家共同研究眞正的中國歷史，還他歷史人物的本來面目。

李靖本名爲李藥師，雍州三原人（今陝西三原縣），他的祖父李崇義，是後魏殷州刺史；父親李詮，為隋朝郡守，家世十分顯赫。李靖身材魁梧，相貌英挺，十分的帥氣。他有文才，也有武功，在李靖還是一個青少年的時代，他就常對人說：『一個男子漢大丈夫，如果遇到賞識他的君主，遭逢到適當的時機，應當爲天下立功績，成事業，不能夠做一個書呆子。』

李靖的舅舅是隋朝平定南方陳朝的大將軍韓擒虎，韓擒虎在當時是首屈一指的大將軍。他對這個小外甥十分欣賞，常常與李靖一塊兒談軍國大事，而且稱讚道：『放眼望去，可和我談論孫子兵法的，也就只有這個孩子了。』

長大之後，李靖在隋朝任長安縣功曹，又做到駕部員外郎，因爲他才學高人一等，又因爲有一個韓擒虎舅舅的關係，與朝廷中的大臣都很熟悉。吏部尚書牛弘（他是隋朝最有名的文學大家），特別看重李靖。就是連驕傲的楊素，也曾經半開玩笑的，拍著座位道：『看來，這個位置遲早是你的了。』

在隋煬帝大業末年，李靖擔任馬邑郡丞，剛好這時唐高祖李淵正在塞外與突厥相抗。聰明的李靖觀察形勢，知道李淵已有造反的意思了，立刻前往煬帝所在的江都，準備前去告發。可是，他剛到長安，兵荒馬亂，道路不通，只好留了下來。

等到唐高祖的軍隊攻佔了長安，逮住了李靖，高祖李淵大爲興奮，馬上就要斬了這個告密者。

正等著人頭落地的一剎那，李靖大聲呼道：『公起義兵，本意是爲天下除去暴亂，現在大事尚未成功，就要因爲私人的怨恨，殺掉一名壯士嗎？這算是什麼英雄好漢？』

唐太宗李世民也站出來爲李靖講話，再三陳情『此人是個人才，不宜殺害。』方才撿回李靖的一條命。由此，也可見太宗的度量寬廣，殊非常人所及。

據說：唐高祖在隋朝做官時代，就與李靖有過不愉快，再加上這件事，更打心底討厭李靖。因此，當武德二年，李靖去討伐蕭銑，途中受阻，軍隊不能前進，高祖悄悄命令陝州都督許紹就地把李靖給殺了。可是，許紹愛才，捨不得下手，李靖再度大難生還。

後來，李靖帶領八百人，破蕭銑營，俘獲五千人，唐高祖開心極了。下詔曰：『卿竭盡心力，功效特彰，特以嘉賞。』並寫了一封信告訴李靖：『既往不咎，過去的事我早已忘了！』表示前仇一筆勾消，不必再提。

閱讀心得

【第252篇】眾君之長的天可汗。

李靖打敗蕭銑，得到了唐高祖的信任。以後，他又安撫嶺南，平定了輔公祐之亂，得到很大的戰功。不過，李靖最大的成就，在於對抗東突厥的上面。

唐高祖武德八年，突厥進犯太原，李靖擔任行軍總管，統率江淮兵一萬餘人。當時，各路人馬都打不過突厥兵，只有李靖能夠力抗。唐太宗經常誇耀：『李靖是蕭銑和輔公祐的剋星，古代的名將白起、衛青、霍去病，哪兒可以比得上？』

到了第二年，突厥又趁著太子建成和齊王元吉與李世民不合時再度大舉入侵。頡利可汗帶領了大軍，一路衝到長安附近，當時長安的兵力只有幾萬人，實在不是對手。李世民把李靖找來問對策，李靖的看法是：『目前國家需要安定，暫時不宜於用兵。』

後來，靠著李世民過人的機智，親自率領六位臣子，到達突厥陣地，隔著渭水責備頡利可汗，又利用頡利可汗與突利可汗的不合，挑撥離間，撤退了雙方兵馬，免去了一場浩劫。

唐太宗即位之後，念念不忘渭水這場驚險，總想找機會報仇。貞觀三年，聽說突厥的許多部族造反，立刻任命李靖爲兵部尚書兼代州道行軍總

管，率騎兵三千，出其不意直逼惡陽嶺。頡利可汗沒有料想到有此一著，嚇得心驚肉跳，並且害怕的與部下商議道：『唐朝軍隊如果不是傾全國之師而來，李靖有幾個膽子，竟然敢孤軍深入我境。』

第二年，李靖再破定襄，頡利可汗狼狽逃脫，退保鐵山，遣使入朝謝罪。

唐太宗對此，可眞是得意萬分。他說：『以前漢武帝時代，李陵率領步卒五千人，結果投降了匈奴，史書上還加以稱揚。現在你僅以三千輕騎深入虜庭，克復定襄，威震北狄，這可是自古以來從來沒有的事，足以報當年渭水之役的大仇。』

此時，頡利可汗雖然請降，內心依舊不情不願。唐朝方面派遣鴻臚卿唐儉、將軍安修仁，前往突厥慰撫。

李靖對張公謹將軍道：『皇帝特使到達那兒談和，虜敵必定心中放寬，缺乏戒備，我們選擇一萬精兵帶二十天糧食前往突襲。』

張公謹不以爲然道：『皇帝詔書准許他投降，怎麼好去突擊？何況我們還有兩個特使在人家那兒。』

『兵機不可失，國家利益重於一切，頡利可汗又非眞心歸降，何必爲了區區唐儉而誤大事。』李靖當機立斷之後，馬上率軍前進。到了陰山，一路上遇到一千多個頡利可汗派在前方的哨站，全部加以俘虜。因此，一直到李靖逼進頡利可汗帳篷之外十五里，可汗才發現事有蹊蹺，可是已經來不及了。李靖斬了數萬突厥兵，俘虜了男女共十餘萬人，又殺掉頡利可汗的妻子——隋朝的義成公主，生擒了頡利可汗的兒子疊羅施。

頡利可汗乘千里馬逃走，想要投奔吐谷渾，半途中被唐朝的西道行軍總管張寶相所擒，不久，突利可汗也來歸順，唐朝算是報了仇，大勝而歸。

由於唐朝聲威遠播，四夷君長前來長安求見，請求唐太宗做爲天可汗。可汗是西域對君長的尊稱，意思是衆軍之長。唐太宗笑嘻嘻的說：『我爲大唐天子，還要下行可汗的事嗎？』於是，群臣及四夷都在地上叩首：『萬歲！萬歲！萬萬歲！』歡呼響徹雲霄。從此以後，唐太宗對西北君長的璽書，一律自稱爲『天可汗』。

頡利可汗也被活捉到了長安，伏地跪拜痛哭。太宗命他在長安住下，賜以優厚飲食。太上皇唐高祖聽說這個大好消息，也樂不可支道：『以前，漢高祖在白登山受困卻沒有法子報仇。現在，我的兒子能滅掉突厥，我的王業託付得人，還有什麼好憂慮的呢？』

唐高祖派人召來太宗，又找了十餘名貴臣及諸王妃主在凌煙閣舉行慶功宴。喝得酒酣耳熱之際，唐高祖自己彈起琵琶，唐太宗聞樂翩然起舞，公卿們一個接一個站起來敬酒，一直鬧到半夜，君臣依舊興奮得不忍歸去。

李靖雖然建了大功，卻遭到嫉妒。御史大夫溫彥博奏上一本，說是『靖軍缺乏綱紀，以至於突厥的珍寶，散於亂兵之手。』太宗大爲不悅，但是還是忍著氣道：『以前隋朝將領史萬歲大破達頭可汗，隋朝有功不賞，反而把他判了死刑。朕不是這樣的人，我赦免你的罪，照樣記載你的功勳。』後來，太宗又對李靖說：『以前是有人故意進讒言，你可別在意。』又賜白絹二千匹，拜爲尚書右僕射。

太宗對李靖一直很尊敬，私下稱其爲『兄』。因爲李靖患有足疾，不良於行，又特別賜給他一枝靈壽杖。李靖爲了報答太宗恩情，在六十五歲高齡仍然出兵吐谷渾，打了一場大勝仗。

貞觀十四年，李靖的妻子去世了。太宗爲著表彰他的功績，特別下詔採取漢朝衛青和霍去病的故事，在墳墓之前，建築起突厥境內的鐵山、吐谷渾境內積石山的模型，這也是難得的恩寵。

貞觀十八年，李靖臨死前，被封爲衛國公。因此，李靖流傳下來的兵書，稱之爲《唐李衛公問對》，至今仍爲人們所傳誦，是我國的兵法寶典之一。

閱讀心得

【第253篇】

唐太宗的鬍鬚灰。

今天我們要介紹另一位英雄人物李勣的故事。李勣有三個名字——徐世勣、李世勣與李勣。在《薛仁貴征東》這部小説之中，有一個足智多謀，深通陰陽五行的牛鼻子老道徐茂公，就是暗指李勣。

李勣的本名叫徐世勣，唐高祖賜姓爲李，後來又由於唐太宗李世民的名字中間有個『世』字，爲求避諱，再次改名爲李勣。

李勣是曹州（今山東曹縣）人，他小的時候，家裡十分富裕，僮僕甚多。他的父親徐蓋，生性慷慨，喜歡賙濟鄰里，在地方上頗有人望。

隋朝大業末年，李勣十七歲，時當天下大亂。有一個名叫翟讓的人，原爲東都小官，受到旁人的牽累被處死刑。牢中的獄吏黃君漢，不忍見此一血性漢子被殺，偷偷的把翟讓放了出去。翟讓逃到了瓦崗寨，與單雄信等人一塊兒當了土匪強盜。李勣跑去跟從了他。

李勣對翟讓說：『我們腳下所踩的這塊土地，是公及勣的家鄉，大家彼此都很相識，在這兒當強盜實在不好意思。隔鄰的滎陽爲汴水所流經，商旅往還不絕，可以好好的攔截一番。』翟讓聽了，認爲極有道理，遷地爲盜。

於是，他們來到運河旁邊，劫掠公私商船，大大撈了一票。因爲財力

雄厚，兵力強大，連李密也想加入這支隊伍反抗隋朝。

隋朝派遣大將張須拖前來討伐，反而被李勣用計把張須拖殺了。再派王世充來剿匪，又被李勣給打敗了。李勣對李密說：『現在天下大亂，就是因爲飢餓，如果我們能得到黎陽倉庫，事情就好辦了。』果然，當李勣攻下倉庫，大開倉門，讓飢餓的百姓吃個夠飽。十天之間，就招募了二十萬大軍。

後來，唐高祖武德二年，李密率衆投降了唐朝。李勣的義氣，使得高祖十分欣賞，賜姓李，封曹國公。不久，唐朝討平單雄信，依照慣例應該處死。李勣上表求情，說單雄信武藝絕倫，請免一死，並願意用自己的官爵爲他贖罪。

唐高祖沒有答應他的要求，李勣難過得要命。當單雄信臨刑之前，李勣忽然抽出一把鋒利的小刀，把自己的股肉割下一塊，送給單雄信吃，嗚咽的對單雄信道：『生死永訣，此肉同歸土矣。』並且收養了單雄信的兒子。當時的人，都很推崇李勣的念舊。

李勣曾追隨太宗討平竇建德、劉黑闥、徐圓朗等反隋兵馬。但是，他最大的成就，在於與李靖並肩作戰，消滅了唐朝最大的外患——突厥。

在上一篇『眾君之長的天可汗』中，我們說到：李靖給頡利可汗一個迅雷不及掩耳的突襲，把突厥打得落花流水。這個計謀，是李勣與李靖兩人聯合想出來的。李靖將兵連夜發動，李勣勒兵繼進，使得頡利可汗沒有退路，只有乖乖投降。

因爲這場戰役，李靖被封爲衛國公，李勣也被封爲英國公。從此以後，李勣留在幷州戍守邊疆，一守就是整整十六年。

唐太宗對侍臣道：『隋煬帝不能夠精選賢良將士，安撫邊境，只好建築長城防備突厥。今天，我用李勣一個人防守幷州，就能夠使得突厥畏懼威名遠遠逃走，邊區安寧，你們說，這豈不是比建築長城更有效嗎？』可見得李勣眞可以說得上是國之干城。

貞觀十五年，李勣被任命爲兵部尚書。這時，薛延陀率衆八萬南侵，太宗命李勣以朔州行軍總管的名義，前往抗敵。

薛延陀的步兵相當厲害，他們有一套特殊的戰法——以五個人爲一小組，其中一個人管住五匹馬，另外四個人在前面打仗。如果打勝了，回頭騎上馬再往前衝；萬一臨陣退縮，管馬的那個人，就會將後退的士兵立斬處分。

剛開始交鋒時，唐朝大軍被薛延陀的箭矢打得極慘。後來，李勣想出了一個法子，他命令士兵們從馬上下來，拿著矟，往前猛衝。再派遣副總管薛萬徹專門俘捉薛延陀管理馬匹的士兵。

如此一來，薛延陀的軍隊前進受阻，後退又沒有馬匹，被李勣一路追殺，俘虜了首領及五萬士兵。

由於這一場戰役打得太過辛苦，李勣忽然得了暴疾。唐太宗非常著急，請了最好的名醫為他診治。

醫生案脈之後說：『這種病要治好，還需要一些男人的鬍鬚灰做為藥引子。』

醫師的話還沒有說完，唐太宗已經一劍割下了自己的鬍鬚說：『就用這個燒成灰燼用來和藥吧。』李勣吃藥病好之後，才知道是太宗用自己的鬍鬚做藥引子，眞是感激涕零，立刻進宮求見，李勣一見到太宗，連忙趴在地上叩頭，一直磕到腦袋出血。

後來，李勣從馬上跌下來傷了腳，太宗再三慰問，並把自己心愛的名馬讓給他去騎。有一次，李勣在宴會上喝多了酒昏昏睡去，太宗親自把龍袍披在他身上，怕他著了涼。由於太宗如此恩寵，使得李勣格外感激。在高宗繼位後又二次出征高麗，獲得赫赫戰功，眞是爲人尊敬的沙場老將。

閱讀心得

【第254篇】

高士廉母子同心。

高士廉本名爲高儉，他的祖父在北齊做過不小的官，父親高勱曾任北齊的樂安王、尚書左僕射，又任隋朝的洮州刺史。

士廉幼小時代，對文學歷史極有興趣，隋朝大業中擔任治禮郎的官職。

他有一個妹妹，嫁給隋朝右驍衛將軍長孫晟，生了一個兒子長孫無忌及一個女兒。不久，長孫晟去世了，高士廉就把妹妹及外甥接回家中。

後來，高士廉看上了當時尚未發達的李世民，認爲他是一條潛龍，日後必有發展。於是做主把外甥女嫁給了李世民，成爲日後唐太宗的長孫文德皇后。長孫皇后母儀天下，是歷史上有名的賢后。關於她的故事，我們以後會詳細介紹。總之，高士廉是唐太宗皇后的舅舅。

在隋朝末間，大軍討伐高麗的時候，兵部尚書斛斯政投降了高麗，高士廉受到了牽累，被貶爲朱鳶主簿。

高士廉一向對父母十分孝順，如今被貶到嶺南去做官。嶺南地方潮濕，蠱毒瘴癘，容易得病，不適合老年人居住。所以他不忍心父母同往，留下了妻子鮮于氏照顧雙親，單身前往赴職。

安頓好了父母，他又放心不下守寡的妹妹。把家裡的大宅賣掉，拿了一些錢讓妹妹留著用，然後輕裝而去。

雖然他已盡全力，把家中大小安排妥當。可是正值兵荒馬亂的時代裡，每天依舊牽掛萬分，對著北方有無限的思念，卻又不能動彈，眞有莫可奈何的痛苦。

有一天，高士廉白天睡午覺，忽然之間，夢見他母親走過來，和他親親熱熱的話家常，他依在母親膝下有無限溫暖。猛然之間驚醒了，發現不過是南柯一夢。母親呢，母親在哪兒？她過得好不好呢？高士廉想到母親，心一酸，也顧不得自己已是一個大男人了，哭得滿臉淚痕。

第二天，彷彿有老天保佑似的，他竟然得到久未有音訊的母親託人捎來消息，說是家中安好，高士廉心中的一塊大石頭才算放了下來。人們都說這是高士廉的孝感動天。

到了唐朝高祖武德五年，高士廉回到長安，受命爲雍州治中。當時的唐太宗李世民以秦王身分任雍州牧，由於高士廉是自己妻子的舅舅，又素有才望，太宗對他十分信任。

在玄武門之變中，高士廉也擔任了重要的角色。他在六月四日，率領官吏把關在牢房的犯人放出，並且交給犯人兵器，請他們將功贖罪，幫助太宗。在玄武門之變成功之後，高士廉因爲有功被封爲太子右庶子。

唐太宗正式即位以後，高士廉被任命爲安州都督。不久，被任爲益州大都督。不久，又被任爲大都督府長史。

益州在今天的四川，四川開化比較晚，風俗澆薄，當地有一種奇怪的風俗，他們特別怕鬼，又畏懼疾病。所以，如果父母生了重病，多半不情願侍奉湯藥，甚且爲著躲避禍害，把食物掛在竹竿上，握著竹竿的一頭，遙遠的爲父母送食。

最爲孝順的高士廉，當然看不慣這種情形。他把養育之恩，不能不報，以及百善孝爲先的中國傳統儒家觀念，一點一滴的教導給當地人民，使他們也能漸漸了解孝的意義。

在秦朝時，曾有李冰在四川治水，所以住在水邊的人的土地暴漲，富豪之家，彼此侵奪。高士廉解決了這個問題，又另外疏通了幾條河道，使得蜀地的人民大獲其利。他還找了一些儒生講論經史，大興文治。把地方帶向富強康樂，知書達禮。

貞觀五年，高士廉被命爲吏部尚書。這時，山東、河南、河北一帶的士族，仗著舊日門閥，十分囂張，自以爲是。如果嫁女兒，聘禮也要比別人拿得多。唐太宗對此十分厭惡，命令高士廉等搜集天下族譜家譜，重新整理。這也是他的另一貢獻。

貞觀二十一年，高士廉去世，享年七十二歲。唐太宗悲痛萬分，立刻命令起駕弔喪。

房玄齡急忙阻止太宗前往。原來，唐太宗正在服食方士煉製的長生不老的仙丹，不適宜臨喪。唐太宗很不高興道：『朕此行，不單是爲君臣之禮，更是故舊情深，姻戚義重，他還是皇后的舅舅呢！卿不要再多說了。』

唐太宗率領了幾百騎兵出了興安門，到了延喜門。這時，高士廉的外甥兒長孫無忌，騎著一匹快馬趕到太宗面前，向太宗諫道：『陛下正在服食丹藥，千萬不可臨喪，這是經方上最爲忌諱的事，陛下必須爲國珍重啊！我舅舅在臨終以前，曾經對我說：「皇帝待我恩重如山，我很擔心在死去之後，他會親來臨喪，我怎能在死亡之餘，驚動聖駕。倘若如此，魂而有靈，亦將不安。」所以請陛下千萬勿去。』

唐太宗聽了長孫無忌一番話，想到高士廉臨終之前，仍然一心一意爲自己著想。又想起此後天人永訣，再也不能相會。一種莫可奈何的失意湧上心頭，益發想去見高士廉的最後一面。

『皇上！』長孫無忌不敢阻攔唐太宗，又不能不執行舅舅的遺言，更擔心唐太宗此去有傷龍體。情急之下，伏於馬前痛哭失聲。太宗依舊想去，卻又不能辜負這許多忠臣的好意，只好登上長安故城西北樓，遙遙對著高宅方向，哀哀慟哭。

服食仙丹是一件有傷身體又毫無用處的傻事，不過當時的人卻不明白。可是，太宗君臣之間這種感情，即使在今天，上司與下屬之間又有幾人？

閱讀心得

【第255篇】

賢德的長孫皇后。

對任何一個人而言，能夠虛心接受批評，都不是一件容易的事。尤其是古代的帝王，手中握有無限的權力，沒有任何法律可以約束帝王。所以，當皇帝的更難有接受批評的雅量。唐太宗卻是例外，他的虛心納諫，是歷史上的一段佳話。

在隋煬帝時代，煬帝不但拒絕一切上諫，而且誰敢上奏地方上有造反的亂事，煬帝就要砍誰的腦袋。唐太宗親眼看到隋煬帝的敗亡，深深了解一個人的耳目有限，思慮難周，倘若拒絕臣下的上諫，等於自招巨禍。所以太宗即位之後，鼓勵臣下上諫，公開批評朝政。在貞觀年間，王珪、戴胄、馬周、褚遂良等，都以敢諫知名。甚且在隋朝時代，以善於逢迎拍馬的裴矩，到了太宗朝代，竟然也開始上諫。

在所有朝臣之中，上諫的次數最多，而且影響力最大的，首推魏徵。魏徵原本是太子建成的謀士，玄武門之變後歸於太宗門下。他曾建議太子建成早日除掉太宗，太宗問起這段往事，旁人都爲魏徵揑把冷汗，魏徵絲毫不以爲意，反而侃侃談道：『如果當時事成，陛下今天也登不上皇帝寶座。』言下之意，他的意見可沒錯，錯的是太子建成沒能聽忠言。

太宗對魏徵擇善固執的精神十分欣賞，不但沒有治罪，反而升了他的

官兒。魏徵也相當欽佩太宗的器量。從此，只要魏徵見到唐太宗有不當之處，他都能直言進諫，唐太宗也每能虛心接納。

例如有一次，唐太宗遠赴九成宮，他的後宮宮室就在九成宮旁。後來，僕射李靖，侍中王珪相繼而來。下面的人，就把宮室改爲李王二人的公館。

唐太宗有點不開心，他嘀咕道：『噢，這般的威風與享受，豈不存心輕視我的宮人？』正要準備下詔更改回來，魏徵說話了：『靖、珪，都是陛下的心腹大臣，宮人不過是後宮掃除的奴隸。李靖等的確需要一個像樣的官舍，用來接見官吏，諮問民間疾苦。宮人除了供應皇上之需外，對國事一無參與。陛下若以官舍的理由查辦，將會震驚天下耳目。』

唐太宗想想：魏徵說的很有道理，也就不再過問此事。

另一回，唐太宗得到一隻名貴的小鷹，十分的喜愛。他把小鷹拿在手上把玩著，並試著訓練小鷹一些技能。玩得正在興頭上，忽然之間，外頭通報，魏徵晉見。

唐太宗心想：眞是討厭，什麼時候不好來，偏偏這個時候來，待會兒見到了小鷹，又要嚕囌個半天。於是，順手把小鷹藏在衣袖，準備早點打發魏徵走開。

不料魏徵眼尖，早就看到太宗的動作。因此，他故意說個沒完，談了一件又一件。太宗心裡直發急，又不能把小鷹拿出來，只好耐著性子與魏徵磨，心中一直在催魏徵早走。

扯了半天，最後，魏徵終於告退了。唐太宗長長的吁了一口氣，眼看著魏徵走遠了，他迫不及待把小鷹自袖中掏出，卻發現小鷹悶死了，太宗心裡懊惱萬分。他不是不能斥退魏徵，他也不必避諱在魏徵前面玩鷹。可是唐太宗實在一心一意想做一個好君主，魏徵也一再誇耀太宗賢明，有納諫美德，太宗更覺得自己應該表現出納諫的度量，所以小鳥也玩不成了。

唐太宗的皇后長孫皇后，學問極佳，一舉一動，必循禮法。當太宗與太子建成不合的時代中，多虧長孫皇后孝事高祖，盡力彌縫。玄武門事變發生時，她又親自慰問參與此事的將士，使得太宗對她更是敬愛有加。

當太宗即位，長孫當上皇后之後，太宗時常想與她商量對臣下的賞罰，長孫皇后總是不肯開口。並且說：『牝雞司晨，並不適合。』她既認爲女子干政，既非國家之福，所以不願參與政事。

長孫皇后的哥哥長孫無忌，與太宗是布衣之交，又是佐命王勳，太宗視之爲心腹，長孫皇后總認爲不太妥當。她不止一次對太宗說：『妾託身紫宮，尊貴至極，實不願兄弟子姪布列朝廷，漢朝的呂后之亂，可爲切骨之戒。』

唐太宗不聽，他自認有知人之明，所以大膽的任用長孫無忌爲左武侯大將軍、吏部尚書和右僕射。

長孫皇后所生的女兒長樂公主，深得太宗的喜愛，因此出降（即公主結婚）之時，太宗下令送的禮儀，要比過去永樂公主出嫁時多一倍，魏徵又說話了：『情雖有差，義無等別，不可失理。』太宗回去告訴皇后，以爲皇后一定失望，不料長孫皇后嘆了一口氣道：『以前陛下敬重魏徵，妾未知其故，今聞其諫，方知其爲社稷重臣。』至此，可知長孫皇后的深明大義。

有天，太宗上朝歸來怒氣沖天道：『我非殺了那個鄉巴佬不可！』長孫皇后忙問：『陛下在說誰？』

太宗委屈道：『那個老傢伙魏徵啊，他總在朝廷上當衆侮辱我，叫我把皇帝的尊嚴放在哪兒？』

長孫皇后一言不發，默默退下，換上了大禮服，站在庭階之上。太宗覺得好生奇怪，長孫皇后說：『妾聞主明臣直，今天魏徵能夠如此正直，全是因爲陛下賢明的緣故，怎能不賀？』高帽子一戴，太宗立即哈哈大笑，笑逐顏開。

長孫皇后運用智慧，不但保住了丈夫的顏面（她如果與太宗辯論，太宗一定大怒），更保住了魏徵的老命。她的做人處事技巧，真是高人一等。

閱讀心得

【第256篇】

守正不阿的魏徵。

在上一篇之中，我們介紹了唐太宗的虛心納諫，以及魏徵的敢於直言。

一次，唐太宗在丹霄樓宴飲，席中對長孫無忌道：『魏徵、王珪以前是太子建成的老人，幫助算計朕，著實可惡。好在我能棄怨用才，如今都是我的好臣子了。可是魏徵每次上諫，我若不聽從，要再說話，他就不應我了，這是什麼意思呢？』

眾人的眼光，一起朝向魏徵。

魏徵說：『臣以爲有事不可執行方才上諫，若是陛下不聽從，我還答應，我害怕陛下會做不該做的事。』

『你就先答應我，再做陳論，難道不行？』太宗問道。

魏徵說：『若是我當面應可，又再陳論，這可不是古代忠臣稷、禹對堯、舜的態度啊！』

唐太宗覺得魏徵這個人正直得可愛，哈哈大笑道：『人家都說魏徵疏忽禮貌，舉動傲慢，我怎麼認爲他很嫵媚哩！』

魏徵聽到太宗用『嫵媚』二字形容自己，有點臉紅。馬上叩一個頭道：『這是因爲陛下賢明，魏徵才敢放言。如果陛下不肯接受，臣哪有講眞話的膽子？』

有一天，唐太宗準備去打獵，傳話下去，備好了馬匹與獵犬。不知怎的，又被魏徵知道了，急急忙忙趕來，站在皇宮門口，想要等待太宗出來時，當面諫告爲國珍重，少做危險的事。

魏徵一邊在心中盤算如何開口，一邊耐心的等著。奇怪的是，左等右等，就是不見太宗出來。魏徵覺得好奇怪，衝入宮中一探究竟。結果：他發現唐太宗安坐在那兒，不像是要出門的神態。看太宗的打扮，卻又是一身獵裝，這是怎麼一回事呢？

魏徵疑惑的請問：『聽說陛下要前往南山打獵，怎麼還不動身？』

唐太宗看了一眼魏徵，笑著說：『不錯，我本來是要去打獵的，又擔心被你知道了要嘮叨個不停，所以現在不想去了。』

魏徵聽到太宗如此一説，非常的感動。自古以來，還很少有皇帝如此敬畏臣下的事，高興得再三拜謝而去，更暗自慶幸遇到了一位明主。

前面説過，貞觀年間上諫的臣子，並非魏徵一人，這是因爲風氣既開，做皇帝的有納諫的度量，臣子們自然也就敢直言了。

不過有一點唐太宗始終想不通，他問魏徵道：『爲什麼群臣的上書寫得洋洋灑灑，可圈可點。然而眞的召見他們，卻又言語失次，其中的道理在哪兒呢？』

魏徵回答道：『臣觀百官奏事，往往在家中打了數日腹稿，等到上朝時，只能表達他的意見的三分之一。更何況，上諫所説的，一定都是有拂皇上心意的事，倘若陛下再一臉不肯假以辭色的模樣，臣下當然害怕而不敢暢所欲言。』

自從魏徵說了這番話，唐太宗格外注意自己的態度，盡量的和顏悅色，因此，君臣之間的感情更濃。這也是魏徵的過人之處。如果換了其他有私心的人，皇帝這般信任自己，正可以大權在握，又何必刻意去拉攏太宗與其他大臣的感情？

言路既開，當然也有壞處。譬如有的人亂開口，不近事實；也有的人專在雞蛋裡挑骨頭，唐太宗不免覺得厭煩。魏徵又勸解道：『陛下是明君，因此惟恐不曉得自己哪兒犯了錯，鼓勵臣子們上諫，自然得讓他們盡量陳述。如果其言可取，固然有益於國家；如果其言一無可取，也沒有什麼損失。』

聽了魏徵的開導，太宗又釋懷了。

有一回，太宗想聘通事舍人鄭仁基的女兒納入後宮，詔令已經發下去了。

魏徵聽說，鄭女已經許嫁士人陸爽，上表請太宗准許陸家這門婚事。

按理說，做皇帝的看上了誰，豈有得不到之理，何況鄭女還未正式嫁給陸爽，可是唐太宗立刻命令停止冊使，而且下詔責備自己。

房玄齡等不以爲然奏稱：『許嫁陸氏，並無顯狀，大禮即行，不可中止。』太宗沒有理會房玄齡的話。

陸爽本人更表示：他與鄭氏二人之間並無婚姻之議。太宗奇怪的問道：『群臣固然希望我行禮完婚，陸爽又爲何如此表白，我不是已經告訴大家停止這件婚事了嗎？』

魏徵的回答是：『他以爲陛下表面上雖然放棄了，私下會派他的罪名，所以不得不這麼做。』

『哦！朕講的話，這般沒有信用嗎？』太宗開玩笑道。

唐太宗曾對侍臣說：『貞觀以前，跟從我平定天下，周旋艱難危險，這是玄齡的功勞。貞觀之後，盡心於我，安國利民，犯顏正諫的，魏徵功勞最大。』

貞觀十七年，魏徵病重而死。太宗親臨痛哭，停止上朝五日。爲了給魏徵厚葬，他下令給羽葆鼓吹及班劍四十人，賻絹布千段，米粟千石，陪葬昭陵。沒有想到，魏徵的夫人竟然婉拒。她說：『徵平生節儉樸素，如今用一品禮葬，非亡者之志。』竟然只用一輛普通的馬車載運棺材。

魏徵出殯之日，太宗登上苑西樓，望喪痛哭，下詔百官送出郊外。太宗對人說道：『以銅爲鏡，可以正衣冠；以古人爲一面鏡子，可以知道往來興替的道理；以人爲鏡，可以自鏡中看出自己的得失。我常保有這三鏡，以防止自己的過錯。魏徵走了，我喪失了最寶貴的一面鏡子了。』

閱讀心得

【第257篇】唐太宗吃蝗蟲。

在介紹唐代功臣之時，我們已陸陸續續介紹了唐太宗的許多豐功偉業。今天，我們再介紹幾則有關唐太宗的小故事。

太宗在當秦王之時，就在秦王府中養了一批文人，和他們談論詩書中的道理以及軍國大事，彼此相處得十分融洽。到了他當上皇帝，依舊保持禮賢下士，與讀書人交往的興趣。

有一次，唐太宗在玄武門宴請三品以上的官員，酒過三巡之後，唐太宗忽然興起，命人端來筆墨紙硯，表演一手書法。

太宗對晉朝王羲之的書法最爲欣賞，尤其擅長於摹擬王羲之的飛白體。他捲起衣袖，開始露一手功夫，並表示準備把寫好的字，送給與宴的群臣。

太宗這一宣佈，大夥都非常興奮！誰不想得到當今皇上的眞蹟，作爲傳家之寶呢？因此，太宗每寫就一幅，羣臣們立刻爭著去搶。其中有一個叫劉洎的人更是過分，他竟然登上御座，站到太宗的背後，等太宗一寫完，立刻伸手越過太宗的肩膀，一把搶到了太宗寫的字，劉洎的樣子眞像騎到太宗的背上。

旁邊的官員都嚇得目瞪口呆，驚訝劉洎的放肆。站在一旁的御史很看

不順眼，便對太宗說：『洎登御床，罪當死，請付法。』

沒想到，太宗只是笑笑說：『昔聞婕妤辭輦，今見常侍登床。』常侍是劉洎的官名，他當時的職務是散騎常侍，床即爲天子御座。太宗非但不以爲忤，反而爲大家搶他的字而得意哩。如果是明太祖，臣子如此不守禮法，腦袋非得搬家不可。

太宗不論對臣子對人民，都是寬大爲懷。貞觀六年十二月，他親自錄問關在牢裡的重囚，其中有不少是等著問斬的死刑犯。唐太宗對他們表示十二萬分的同情，又不能無緣無故的大赦，損害國家的司法。因此，他決定先放這批犯人回家，要他們到第二年的秋天再回來。

當太宗把死刑犯放走之時，許多人都料定他們絕不會再回來，誰肯乖乖的回頭就死呢？可是說來也奇怪，到了秋決之際，竟然死囚一個一個如期報到，這只能說是囚犯們感念太宗讓他們回家一趟的恩德吧。

不過，此並不表示唐太宗不重法治，例如有一個人叫黨仁弘，原來是隋朝的武勇郎將。唐高祖起兵之後，黨仁弘率領了兩千多人投奔高祖，做到了陝州總管。他極有才略，所到之處都聲望極隆。可惜此人有個喜拿紅包的嗜好，而且貪心不足。最後，在廣州被人告發，搜出贓款達百餘萬，罪該問斬。

唐太宗想到黨仁弘過去對國家所做的貢獻，不忍取他性命，在貞觀十六年十一月對侍臣們說：『我昨天見到請誅黨仁弘的奏章，哀憐他到了白首還要就戮，想要撤銷這個案子，爲他求一條生路，想來想去想不出辦法，請你們幫忙找一個讓他獲生不被誅殺的理由。』

過了沒有幾天，唐太宗又召集五品以上的官員在太極殿前自責道：『法律者，乃爲人君者所受命於天者，不可以爲著私心而喪失信用。今天朕私心偏愛黨仁弘，希望把他赦免，是亂其法，上負於天，朕準備坐臥於草蓆之上三天，而且要吃三天素，表示謝罪。』

房玄齡等認爲太宗不必如此，向前勸道：『生殺之柄，本來是人君的權力，何必自我貶責如此！』然而，太宗仍然堅持。因爲太宗明白君王手中握有生殺大權，所以他要提醒自己格外公正，以免損害國家大法。

唐太宗出身自民間，特別了解貪官汙吏危害百姓，所以不僅大公無私治了黨仁弘的罪，而且平日最痛恨官員貪汙。

為了試驗官員們的廉潔，他派人去試行賄賂，結果有一個守門令吏收了一匹絹布，太宗很生氣，決心殺一儆百，把守門的小官殺了。

民部尚書裴矩對此不以為然，他上諫道：『為吏受賄，罪誠當死，但是陛下誘人入罪，恐怕不合論語之中所說的導之以德，齊之以禮的原則。』

太宗覺得裴矩說得有理，當眾承認錯誤，嘉勉裴矩。自從太宗厲行嚴禁貪汙之後，唐朝的政治風氣十分清廉。可是有一回，長孫皇后的叔叔長孫順德，居然受人餽贈，事情敗露之後，太宗不但沒有治他的罪，反而在殿庭之上，賜了數十匹上好的絹布。

大理少卿胡演，看著不服氣道：『順德受了賄，罪不可赦，為何還要賜給他絹？』

唐太宗說：『長孫順德如果有功於國家，朕可以把國庫中的財富分給他，他又何必貪汙？我現在故意當衆賜絹給他，他如果有人性，應該視之爲奇恥大辱，比受刑還要難過。』果然，長孫順德在此之後，成爲一個最清廉的官吏。

唐太宗的虛心納諫，是歷史上有名的，可是有一回他不肯接受臣下的上諫。那是貞觀二年，關中鬧蝗災，人民活不下去，有的人迫不得已只好賣兒女，太宗爲此十分痛心。有一天，他在宮中見到數隻蝗蟲，用手掇起數隻對天禱告：『民以穀爲命，而你竟然吃掉穀子，不如來吃我的肺腸吧！』拿起蝗蟲，就要往口中塞。左右急忙勸阻：『吃下去會生病的啊！』可是，太宗仍然吞了幾隻蝗蟲。

吃蝗蟲固然是一件很可笑的事，可是太宗能夠勤政愛民，遵守禮法，才造成了貞觀之治。

閱讀心得

【第258篇】

太子承乾想當突厥人。

唐太宗一生英明果斷，開創貞觀之治的局面。可是太宗的晚年，卻爲了不能解決家庭兒女之間的糾紛，萬分的痛苦與煩惱。

唐太宗的長子誕生於承乾殿之中，所以命名爲李承乾。武德三年，被封爲恒山王，七年又被封爲中山王。等到太宗即位爲皇帝，順理成章被命爲皇太子。當時承乾才八歲，聰明活潑，很得太宗的喜愛。

當承乾漸漸長大，染上聲色犬馬及畋獵的不良嗜好。他擔心太宗知道自己奢靡的壞毛病，在宮臣（太子宮中的屬官）面前總是一本正經論忠孝之道，不時還灑幾滴眼淚，表示對於道德學問的感動。

等到承乾退歸到自己的宮室裡，和小人玩褻狎昵好不快活。萬一有哪一個臣子想要上諫，被承乾知道了，他立刻裝成誠惶誠恐的模樣，正襟危坐，一而再再而三的譴責自己的過失。臣子們看到太子知過必改，態度謙遜，也就不便多說。因此，在承乾早期，他還以賢能聞名於外。

承乾太子的喜好與一般人不太相同，他嚮往塞外的遊獵生活，曾經製作了一個八尺高的銅爐，又監工做了一個可以容納七斗二升的大鼎。然後命令一些亡命之徒，到民間盜取大批的馬牛。承乾親自在大鼎中烹煮馬牛，與所寵幸的廝役一塊兒吃喝。

他對於中原文化沒有興趣，對突厥語和突厥的服飾倒十分偏好。承乾親自挑選了一批外貌長得像突厥的手下，每五人爲一落（一隊），大家都像突厥人一般頭髮編起了辮子，身上穿著羊裘，並且製作了一面突厥大旗，旗子上畫著五頭狼爲標幟。

等到這一切都佈置妥當了，承乾太子設置了一個氈帳，和突厥王一般端坐在其中，自個兒現殺現宰現烹羊隻，然後抽出佩刀，割下羊肉送入口中。這種塞外的生活，對承乾而言，眞是樂在其中。

有一天，承乾又想出了一個新點子。他說：『現在，我假裝當可汗，可汗去世了，你們效法突厥的喪儀。』

說著，承乾一頭栽到地上裝死。然後左右嚎啕痛哭，騎在馬上，對著

『屍體』環繞著走，在走近承乾身旁時，用刀子割自己的臉。

用刀割臉稱之為剺面，這是戎狄普遍的風俗，表示對死者的哀悼，或者發重誓。

這一群人在承乾身旁又哭，又叫，又割面，玩了好半天，承乾依舊興趣未減，也絲毫不覺得不吉利。

最後，太子承乾忽然翻身而起道：『等到有一天我擁有天下之時，我一定要率領數萬騎兵到與突厥接壤之處去巡獵，然後和突厥人一般的把頭髮解開，當一個突厥人。』

太子承乾好學突厥之事，終於傳了出去，許多大臣紛紛上諫，惹得承乾十分的不悅。當承乾悄悄引突厥達哥支入宮之後，于志寧上書諫曰：

『……，突厥達哥支等，人面獸心，豈得以禮教期，不可以仁義待。』

由於每次有臣子上諫承乾，太宗總會厚賜金帛。太宗本人就是最會納諫，所以承乾十分惱怒。乾脆派遣刺客張師政和紇干承基去刺殺于志寧。當這兩位刺客到了于志寧的宅第，赫然發現于志寧雖然位居相職，可是居處簡陋，頭枕著磚塊，身上蓋的是草蓆，竟然不忍心下手。

承乾太子有一個叔叔漢王元昌，由於時常興起一些不法的勾當，經常被哥哥太宗責罵，心裡頭的怨恨甚深，剛好與姪子承乾臭味相投，可以玩在一塊兒。

由於太子承乾的腳有點兒跛，不良於行，或許是自卑感作祟，反而更喜歡好勇鬥狠。他與漢王元昌兩人朝夕同遊戲，又想出一套新鮮的玩法。

太子承乾與漢王元昌各自帶領一支隊伍，披上氈甲，手上拿著竹矟，面對面互相衝殺，大呼交戰，擊刺流血，這眞是既危險又殘忍的娛樂。許多被編入隊伍者都不太願意參加，像這種不服從命令的，承乾就把他綁在樹上猛打一頓，甚至還有打死人的情事。

久而久之，承乾血液中的野性益發洶湧了。他說：『假如今天是我當天子，明天我就要在苑中設置一個萬人營，與漢王分別率領一隊，然後觀其戰鬥。那樣，豈不樂哉！』又說：『等到我當上皇帝，我可要極情縱慾玩一個痛快。誰敢上諫，就取誰的腦袋。這樣，不過殺個數百人，自然沒有人再嚕嗦了。』

承乾的作爲，逐漸傳到太宗的耳裡，使得太宗爲兒子的不肖異常傷心。

過了沒有多久，又發生一件讓太宗動怒的事……。

太子承乾看上一名十多歲大的樂童，他長得眉清目秀，能歌善舞，承乾十分欣賞，特別爲他取了一個名字叫稱心，表示稱心如意。白天兩人在一塊兒廝混，連晚上也都睡在一塊兒。

有人把消息傳到太宗耳中，太宗看承乾愈來愈不像話了。一氣之下，把稱心給殺了。承乾失去稱心之後傷心不已，在宮中開闢了一個房間，立了一個稱心的像，朝夕奠祭，徘徊流淚。更爲稱心做了一個塚，立了一塊官碑。

太宗曉得了承乾的荒唐舉動，十分的不高興，太子也知道父王不滿意，乾脆稱疾不上朝。父子之間，展開了冷戰。

閱讀心得

【第259篇】

魏王泰的野心。

唐太宗的太子承乾雙脚不良於行，性格乖僻，不願意做漢人，倒是一心一意學習突厥人的風格。他私自養了一個樂童稱心朝夕相伴，被太宗賜死之後，承乾哀傷不已，從此託病不上朝，動輒數月之久。

想當初太子承乾倒還裝模作樣，假裝當一個正人君子，如今被拆穿了，他也就不再隱瞞。他命令數百戶奴隸學習胡人把頭髮束在頭頂，盤挽成爲錐形的髻，又學習胡人的歌舞。自此，鼓角之聲，日日夜夜，從太子的宮中傳了出來。

太子承乾的任性胡爲，他當然知道勤於政事的父皇太宗心中不悅，何況他還在一直懷疑，樂童稱心的事被告發，恐怕是他的四弟魏王泰告的密。

魏王泰是唐太宗的第四個兒子，從小就擅長提筆寫文章。武德三年，被封爲宜都王，貞觀十年被封爲魏王。太宗本人雅好文學，見魏王泰頗有乃父之風，心中暗喜，特別准許魏王泰自己設立一個文學館，任他自由召引學士，類似太宗當年在秦王府設立文學館一般。

魏王泰不知是否營養太好，肚皮有點兒肥大，鞠躬下拜比較困難。唐太宗爲了體恤他的腰腹宏大，舉動不便，特別准許他乘坐小轎子入宮，可以見得太宗對他的寵愛。

貞觀十二年，司馬蘇勗以古來帝王多半引用賓客著述，爲世所稱道。勸魏王泰向太宗請求撰寫括地志，太宗答應了。當貞觀十五年，括地志在魏王府中文學士的通力合作之下完成以後，太宗大爲喜悅，賜給他許多寶物。此後，每月發給魏王泰的料物，竟然超過太子承乾。

諫議大夫褚遂良曾爲此上諫，提醒唐太宗：『當親者疏，當尊者卑，將會私恩害國。』太宗接受了褚遂良的意見，減少了對魏王泰的供差。後來，太宗要魏王泰搬到武德殿去住，魏徵以爲不妥，太宗也收回成命。儘管如此，明眼人都可以看出：太宗心裡疼愛的是魏王泰。

魏王泰當然更能體察父親的偏愛，再加太子行爲常常犯錯，又有足疾，心中暗暗埋下爭奪太子之位的種子。所以極力表現，折節下士，以爭取名譽。黃門侍郎韋挺、工部尚書杜楚客兩人，更爲魏王泰到處活動，要結朝士，並且用金錢賄賂朝中權貴，一時之間，人人都誇魏王泰聰明好學，應該作爲皇位的繼承人。

在這種情況之下，兩相對照，太子承乾益發顯得不堪，所以太子心中很著急。

吏部尚書侯君集，看清楚了這個形勢，準備乘機攪和一番。

侯君集這個人，性情矯飾，喜歡自誇，雖然會玩弓矢，但功夫不算到家。他是太宗當秦王的時代被延攬入府，在誅殺建成和元吉的玄武門之變中，出了不少力，漸漸被太宗所重用。

貞觀四年，李靖被任命爲西海道大總管，奉命討伐吐谷渾，侯君集做李靖的副手。吐谷渾被平定之後，侯君集也升了官，改封陳國公。侯君集是行伍出身，胸無點墨，如今才開始讀書識字。

貞觀十一年，高昌王麴文泰十分的自大，不肯入朝進貢。太宗屢次令召麴文泰入朝，他總是以有病相推托。最後，唐太宗派遣侯君集前往討伐。

高昌王原先聽到這個消息不以爲意，他對國人說：『唐國離開此地有七千里，其中沙漠寬約二千里，地無水草，冬風凍寒，夏風如焚，風所吹過，行人多死，怎能行走大軍？就算大軍到來，二十天之內，糧食必然吃光，我們又有什麼值得憂慮的呢？』

沒想到，侯君集竟然眞的到了高昌國城外，他想出了一個奇怪的戰法，用撞車的反彈力量，把大石頭拋向城中，凡是被石頭擊中的，無不當場斃命。高昌國受不了凌厲的石頭攻擊，開門投降。

侯君集平定高昌國時，沒有馬上報奏朝廷，又私自取用高昌國的寶物。其他的將士們曉得消息，也搶著來搜寶。侯君集惟恐部下們舉發他做的好事，只有容忍部下進一步的胡作非爲。

後來，侯君集到了京城，被人舉發，下詔入獄。中書侍郎岑文本，以爲有功的大臣不可輕加屈辱，爲他求情，侯君集才被放出。

侯君集自認爲在西域之間立了大功，竟然因爲貪汙被捕下獄，心中怏怏不樂，言語之間對朝廷極爲不滿。唐太宗雖然仍把侯君集的畫像，列在凌煙閣之上，卻沒有重用他，所以，侯君集一直鬱鬱不得志。他不檢討自己敗德收紅包，總認爲是國家對不起他。

如今，滿懷怨恨的侯君集，眼見太子昏暗庸劣，魏王泰又有奪取太子之意，認爲這是他翻身立功的大好機會。所以，他三番兩次建議太子承乾造反，並且舉起大手對承乾道：『這隻好手，正準備爲殿下所用。』遂決定了謀反的計畫。

侯君集決心謀反之後，很擔心祕密外洩，心中不安，常常半夜睡了一半，突然自床上驚醒，然後唉聲嘆氣老半天。他的妻子知道其中有鬼，對他說：『你爲國之大臣，必有不善之事，辜負國家，不如早日自首。』

閱讀心得

【第260篇】唐太宗審問侯君集。

唐太宗的太子承乾無能無德，老四魏王泰有意爭奪太子之位。曾在西域滅了高昌國的侯君集，慫恿太子承乾造反。

雖然，侯君集的妻子看出他的神態有異，勸他懸崖勒馬。可是，侯君集滿肚子的怨憤及不滿，促使他要孤注一擲。

侯君集不斷在太子承乾面前煽風點火：『魏王爲上所鍾愛，我恐怕殿下會有庶人勇之禍，應該早日有所準備。』

庶人勇指的是隋文帝的太子楊勇，因為老二楊廣善於討好，贏得文帝的喜愛，最後把太子楊勇廢為庶人，立楊廣為太子，是為以後的隋煬帝。關於這段故事，在前面講得十分詳細。

除了侯君集十分賣力的在策畫政變外，漢王元昌也力勸太子造反。在前兩篇介紹太子承乾想當突厥人中曾經說過，漢王元昌是唐太宗的弟弟，不學無術，經常受到太宗的責罵，與太子承乾是同一類型的人物，兩人常拿著竹稍玩騎馬打仗的遊戲。

漢王元昌是個好色之徒，他瞇著眼睛對太子承乾道：『上回我見到你身旁有個美人兒，善彈琵琶，事成之後，希望能把這個美人賜給我。』太子承乾一口就答應了。

於是，侯君集、漢王元昌以及洋州刺史開化公趙節、駙馬都尉杜荷等，平日爲太子承乾所親暱的人，聚在一塊兒，用刀在手臂上劃了一道口子，流出鮮血，然後用一塊乾淨的布沾上每一個人的鮮血，燒成灰燼，和酒一口吞下，表示誓同生死。

不料，尚未舉事，太子承乾想要造反的消息已經走漏，在貞觀十七年四月被捕下獄。

原來太子承乾和侯君集等人的計畫是領兵直接攻入皇宮，挾持太宗。貞觀十七年三月，太宗的第五個兒子齊王李祐在齊州反叛，太宗命李勣領兵討伐，李祐失敗被擒，追查李祐的同黨，牽連到太子所養的刺客紀干承基，承基也被捕，關在大理寺的監獄內，將要處死刑。

四月初一，承基在獄中告太子承乾謀反，這是重大的告獲，立刻送報太宗，太宗命長孫無忌、房玄齡、李勣、褚遂良等大臣共同審問，結果太子承乾謀反的證據確鑿，謀反案成立。

依照法律，造反一定要處死刑的。唐太宗問侍臣：『將要如何處置承乾？』群臣都不敢吭聲。

此時，通事舍人來濟站出來講話：『讓太子得盡天年，使陛下不失為慈父，能有這樣處置就好了。』

唐太宗也捨不得殺掉兒子，下詔廢太子承乾為庶人，流放到黔州（在今天的四川境內）。

那一位希望造反成功後，可以得到美人兒的漢王元昌，唐太宗念在手足之情的份上，本來也想免他一死，可是朝中群臣都表示反對。大臣高士廉、李勣等，更上奏道：『元昌包藏兇惡，圖謀逆亂，天地之所不容，人臣之所切齒……』

太宗沒有辦法，賜他在家中自盡。

至於侯君集，他被收押之後，唐太宗親自審問，太宗和顏悅色道：『朕不願意你受刀筆吏辱沒，所以朕親自鞫訊。』

侯君集不肯承認參與其事，等到唐太宗拿出侯君集與太子往來的書信，他才俯首認罪。

唐太宗嘆了一口氣道：『君集對國家有功，可不可以免他一死？』群臣都不以爲然。太宗對君集道：『與公長訣矣！』說著，眼淚奪眶而出。

侯君集知道難逃一死，悲哀的跌倒在地。不久，就在市場上問斬。

當侯君集被綁上刑場，市場四周圍滿了看熱鬧的民眾。一代名將竟然落到此一田地，他幾乎站不穩腳步。劊子手已經就位了，侯君集哭著對監刑將軍哀哀求道：『君集蹉跌至此，罪該萬死！然而事奉陛下於藩邸（秦王府），並且擊取高昌、吐谷渾兩國，也算對國家具有少許貢獻，請求保全我一個兒子，以奉祭祀。』

監刑將軍把侯君集的請求報告唐太宗，太宗念在侯君集過去對國家的貢獻，特別免他的妻子和兒子一死。按照唐朝法律，造反可是要誅三族的，因此也不能完全開罪，所以，把侯君集的妻子發配嶺南，籍沒其家。

想當初太宗命令李靖教授侯君集兵法的時候，侯君集曾經祕密上奏：

『李靖將要造反。』

太宗詫異的問：『你有什麼證據？』

侯君集道：『李靖獨教臣粗劣的兵法，不肯教臣精密的兵法，可見得他是想留下一手，作爲造反，奪取皇位之用。』

唐太宗把李靖找來，告訴他侯君集懷疑李靖要造反的事情，看看他的反應。

李靖的回答是：『這是侯君集自己想要造反的證據，現在海內平定，臣所教予他的兵法，足夠制服四夷，而君集一再要求學更多的兵法，這不是爲著造反，又爲著什麼呢？』

他二人互告對方造反，在太宗看來，侯君集及李靖都是過於敏感，也就都不放在心上。

不久，江夏王道宗也上奏道：『君集志向大而才智小，自認爲建有奇功，對於官位在房玄齡、李靖之下憤憤不平，所以雖然貴爲吏部尚書，仍然不能滿足，以臣觀之，必然遲早會要作亂。』

太宗喝斥道：『以侯君集的才幹器量，無論擔任什麼職務都能勝任，朕哪兒會捨不得賜他重位，只是若按次序排等第，還輪不到他，你不要隨便猜度。』

等到侯君集問斬，太宗想起李靖與道宗的話才覺有理。一個心胸狹窄的人，往往不願意多盡力量，只是一心一意想爬高位，旁人給予的好處不知感恩，稍有不順就懷恨在心，侯君集就是這樣可怕的人。

閱讀心得

【第261篇】

大書法家褚遂良。

在上一篇之中，我們說到：太子承乾沾染胡風，品德敗壞，他擔心唐太宗日後會把王位傳給魏王泰。於是，發動政變，結果尚未起事，就被人告發……。

太子承乾既然被廢，國不可一日無儲君，野心勃勃的魏王泰，趁此大獻殷勤，太宗想要把他立為太子，長孫無忌等老臣，則以為應該推長孫皇后所生的另外一個兒子——晉王李治為太子。

原來唐太宗共有十四個兒子，長子李承乾、四子李泰（封魏王）和九子李治（封晉王）是長孫皇后所生，所以，這三個兒子是『嫡子』，古人很重視嫡庶之分，所有的繼承都是嫡子優先，因此，太子承乾被廢之後，魏王泰和晉王治成爲當然的遞補人選。

唐太宗對侍臣們說：『昨天青雀（魏王泰的小名）投入我懷中對我說：「臣今天才得爲陛下子，眞是臣的重生之日。臣只有一個兒子，當臣將死之時，我會爲陛下把獨生子殺死，好把皇位傳給晉王。」朕見他如此忠厚，更加憐愛了。』

這時，諫議大夫褚遂良站出來反對。他鏗鏘有力的說：『陛下之言失矣！希望三思。那裡有說陛下千秋萬歲之後，魏王泰據有天下之後，他肯

殺掉愛子，傳位給晉王的道理呢？』

褚遂良頓了一下，又繼續指出太宗的錯誤：『過去陛下既立承乾爲太子，又寵愛魏王，使得魏王在禮數上超過太子承乾，方才造成今天的禍害。前事不遠，足以爲鑑。陛下今天如果要立魏王爲太子，則應該先殺掉晉王，始得安全。』

唐太宗被逼得掉下了眼淚：『這點我做不到。』

褚遂良爲何許人？他講話爲何份量特別重？讓我們放下太子之爭，先介紹一下這個人。

褚遂良是唐朝的大政治家，也是歷史上有名的大書法家，現在市面上，我們經常可以看到褚遂良的字帖，是學習書法的好範本。

唐太宗本人寫得一手好字，尤其善於摹擬王羲之的書法。有一次，魏徵向他推薦道：『褚遂良下筆遒勁，秀美又有力，很有王羲之的意境。』唐太宗立刻召見褚遂良，一試之下，果然下筆不凡，太宗萬分欣賞。

由於唐太宗特別喜愛王羲之的書法，拿出不少御府金帛，購買搜求王羲之的眞蹟，天下人爭著捧出家中藏字前來獻寶。其中有的確是王羲之的墨寶，也有不少是人們所僞造的假字。這一件辨別眞僞的工作，就落到褚遂良的身上。

唐太宗貞觀十五年，褚遂良擔任諫議大夫兼知起居事的官職，這是諍諫的言官，兼任記載皇帝言行的史官。

有一天，唐太宗對褚遂良說：『卿擔任起居，記錄何事，人君可以觀否？』

褚遂良對曰：『今之起居，就像古之左右史，皇帝的言行，不論好壞，都要記錄下來，以爲鑒誡。使得人君不爲非法之事，沒有聽過帝王親自閱覽這種記載的。』

『朕有不善之事，卿也必須記下嗎？』唐太宗又問道。

褚遂良恭敬的回答：『爲臣的職責如此，凡是君主的一舉一動都得記錄下。』

這就是褚遂良，一位剛正不屈的正直大臣。太宗聽了褚遂良反對立魏王泰爲太子後，很難過的走回內宮。

魏王泰聽說大臣們主張改立晉王治爲太子，跑去對弟弟晉王治說：

『你與漢王元昌交情不錯，元昌今與太子承乾造反被殺，你難道不憂心嗎？』

自從魏王泰說了這句話之後，晉王治果眞憂心忡忡，天天愁眉苦臉，好像大禍臨頭一般的張皇失措，魏王泰更是倍加小心伺候太宗。

唐太宗看著晉王治憂形於色的樣子覺得好奇怪，一連詢問了好幾次。最後，老實的晉王治，把魏王泰的警告，一五一十的說了出來。

唐太宗聽了，呆立了半晌說不出話。他心想：魏王泰還說什麼以後願意擁立晉王治爲皇帝，不惜殺掉自個兒的親生兒子。眼前，魏王泰就容不下晉王治，可見魏王泰非但不忠厚，而且相當陰險。太宗對立魏王爲太子一事，開始心意動搖。

再加上太宗責備太子承乾造反時，承乾很委屈地哭訴道：『我身爲太子，還要求什麼？但是魏王泰覬覦太子之位，才有不法的臣子教我謀反，倘若今天果然由泰繼立爲太子，豈不正好落入他的圈套？』

唐太宗被這件事攪得心煩意亂，緩緩步上兩儀殿，殿中只留下長孫無忌、房玄齡、李勣、褚遂良幾個重臣。太宗灰心的說：『我的三個兒子，齊王祐、太子承乾、魏王泰，一個弟弟漢王元昌做出這種事，我也活得沒有意思了。』說著，把頭直挺挺的往床頭撞去。長孫無忌等趕緊爭著把太宗攔住。太宗又抽出佩刀，準備自刎，褚遂良眼明手快，一把奪下了佩刀。然後，唐太宗緩緩的吐出一口氣道：『我欲立晉王。』

長孫無忌馬上磕了一個響頭道：『謹此奉詔，有異議者，臣請斬之。』

唐太宗轉頭對晉王治道：『還不趕快拜謝舅舅。』（長孫無忌是太宗長孫皇后的親哥哥。）

不久之後，唐太宗親臨太極殿，召集六品以上的文武百官徵詢大家的意見謂：『承乾悖逆，泰亦兇惡陰險，朕欲選諸子爲嗣，誰可以當此大任？』

百官們齊聲歡呼：『晉王仁孝，理當爲嗣。』

太子承乾與魏王泰鷸蚌相爭的結果，晉王治漁翁得利被立爲太子，是爲日後的唐高宗。

閱讀心得

【第262篇】唐高宗漁翁得利。

貞觀十七年四月，唐太宗正式詔立晉王治為太子，在天門樓大赦，宴飲三天。太宗對侍臣們說：『我若是立泰，等於告訴天下人：太子的位置可以用營求的手段得到。現在承乾與泰皆棄而不用，傳諸子孫，可以做為一個榜樣。』

太宗話是如此說，私心裡總是不太欣賞晉王治。認為他過於仁弱，被魏王泰一嚇唬，馬上憂形於色（見上篇），未免膽識太小。

於是，唐太宗找來長孫無忌密談：『你勸我立治，治懦弱膽小，恐怕不能守社稷，這如何是好？吳王恪英明果斷，比較像我，我想立他為太子，你看怎麼樣？』

吳王恪為太宗第三個兒子，母親楊妃是隋煬帝的女兒，出身很好。李恪善長騎射，文武全才，太宗十分鍾愛他。可惜他不是正宮長孫皇后所生的嫡子。

長孫無忌馬上搖頭，表示絕不贊同。

唐太宗有點不高興道：『他不是你的親外甥，你就不肯同意？』

長孫無忌婉轉的勸道：『太子仁厚，正為守成的良主。太子位重，怎麼可以一而再、再而三的更易，祈望陛下三思。』

太宗這才打消更換太子的念頭。

然而，對於李治的仁弱，唐太宗心中始終在嘀咕。有一天上朝，太子李治在旁伺候。唐太宗看看他，對群臣們說：『太子的性情仁弱，民間可曾知道？』

長孫無忌道：『太子雖不出宮門，天下無不欽仰聖德。』

唐太宗嘆了一口氣道：『我像治這個年紀的時候，倜儻不羈，不守法度，治卻從小寬厚。俗話說得好，生下了一匹狼，還擔心他不要像隻羊般的軟弱。以太子這種性格，眞叫人不放心。不過，等到他長大以後，也許會能有所不同。』

『陛下神武，是一位撥亂反正的創業帝王。太子仁恕，正爲守成之君。

這正是上天所賜給我大唐的福氣啊。』長孫無忌設法寬慰唐太宗的心。

除了太子的懦弱，使得唐太宗不悅之外，太宗晚年還有一件事讓他心煩。

左武衛將軍李君羨，在貞觀二十二年某天赴玄武門，卻在大白天竟然看見了太白金星。太史卜了一卦，說此表示『女主昌』。

民間又盛傳祕記記載：『唐朝三世以後，女主武王，代有天下。』唐太宗也聽說了這個傳說，十分厭惡。

不久，正好太宗在宮中賜宴武臣，行酒令，一個一個說自己的小名。輪到李君羨，他的小名竟然是五娘。

唐太宗一聽，他立刻想到民間傳說，當場楞住了。過了一會，才打趣的說：『那有像你這般勇健的女子啊！』

下朝之後，太宗一打聽才知道，李君羨不但小名五娘，連他的官稱封邑中間，都帶有一個『武』字。莫非傳說之中的『女主武王』，正是李君羨？太宗益發的厭惡此人。

後來，李君羨出任爲華州的刺史，有一個人叫員道信的跑來找李君羨，說是自己能夠不食五穀，又能通曉佛法。李君羨對他相當佩服，兩個人常常屏去左右，相與密談。有個御史就向朝廷參了一本，說是李君羨與妖人交通，圖謀不軌。

剛好，太宗正在擔心李君羨，會不會就是傳說中的武王？於是，太宗乘機把他處死，籍沒其家（籍錄上所有的東西，全部沒收）。

李君羨雖然解決了，可是祕記上所寫的，到底是不是他，誰也不敢說。

唐太宗把太史令李淳風找來問話：『祕記中所說的，到底可不可信？』

李淳風回答：『臣仰稽天象，觀察曆數，這個人已經在陛下宮中爲親屬。從現在起三十年以後，將要據有天下，大殺唐朝子孫。此一徵兆目前已在天象之中顯現出來了。』

太宗大吃一驚道：『凡是有可疑的都殺掉，如何？』

『天之所命，人不能違也。且命中注定爲王者不會死，徒然多殺無辜。而且從今以後三十年，其人必定年歷已老，或者心存慈心，爲禍也許不大。假如今天濫殺很多，恐怕陛下子孫反而危險。』

太宗原本是個仁君，經過李淳風的分析之後，也就放棄了先下手爲強的計畫。

太子的仁弱，加上祕記的記載，使得唐太宗對他一手建立的大唐帝國未來的命運憂心忡忡，他要多找一些人扶助李治才安心。於是，他想到了沙場老將李勣。

太宗對太子說：『李勣才智有餘，可是你對他沒有恩惠，他可能不服你。現在我罷黜他的官位，等到我死了以後，你再起用他做僕射，他一定感激你，必會對你忠心。』

於是，太宗一下子就把官居宰相的李勣，降爲疊州都督。不久，太宗病重，在貞觀二十三年與世長辭。

閱讀心得

【第263篇】

藥王孫思邈。

中醫是中國傳統國粹，具有深奧的道理。近年以來，許多國外的科學家紛紛鑽研中醫之奧妙，尤其是日本人在這方面花了相當的工夫。前兩年，孫思邈的《千金要方》在日本十分轟動，現在我們就來介紹孫思邈的故事。

孫思邈是唐朝京兆華源人（今陝西省耀縣），家境清寒。他童年時代，營養不良，身體瘦弱，時常在疾病之中呻吟。

爲了孫思邈的病，他的父親傷透腦筋。一天到晚抱著他拜訪醫門，而且為了購買醫藥，簡直耗盡家財。孫思邈小小年紀，飽受病魔摧殘。他看到許多可憐病患，因為付不出醫藥費而死亡，心中頗有感慨。

孫思邈七歲就學之後，開始發憤努力，口誦千言，準備當一個濟世活人的好醫師。他曾說：『救活一條人命是最重要的事，人的生命比黃金有價值得多；金子可以用錢買，生命可以買嗎？』

他不但研讀醫學，而且精通莊子、老子、百家之言以及佛家的道理。中國古人認為，一個只懂醫術的人不過是方士郎中，充滿匠氣；只有飽讀詩書的讀書人，精通醫理，才是受人尊重的儒醫。

洛州總管獨孤信有一回見到孫思邈，與之詳談以後，大為佩服，曾經大大誇獎他為神童。以孫思邈的學問，參加科舉，當無問題，可是他已立

志懸壺濟世，不爲時尚風氣所動。

隋文帝曾經召他入朝擔任『國子博士』，他稱疾沒有前往，並且對親人說：『過了五十年，當有聖人出，我要幫助他救人。』

後來，唐太宗即位，召見孫思邈，對他十分欣賞道：『看到孫思邈，可知有道者實在值得人們尊重。』然而孫思邈還是拒絕了官位，他寧願在民間爲貧苦大衆醫病。

孫思邈看病認眞，而且關懷病人。他把每一位患者，看成自己的父兄，把病人的痛苦，視爲自己的痛苦，他雖然成了名醫，仍是虛懷若谷，全神貫注，沒有一點名醫的大牌作風。

行醫本來就是要有犧牲忍耐的精神，孫思邈把這種奉獻心懷發揮到了極致。非但是不計較『晝夜寒暑、飢渴疲勞』，而且對那些患『瘡痍下痢，臭穢不可瞻視』，連家人都遠遠躲開的病人，依舊耐心予以治療。因此，凡是被他醫好的病人都對他萬分感激。

孫思邈的病人之中，有一位是人們所熟悉的——盧照鄰。盧照鄰是初唐四傑之一（另外三人是王勃、楊炯、駱賓王）；他是四傑之中，身世最苦的人，一輩子貧病交困。

盧照鄰曾任職鄧王李元裕宮中；鄧王十分器重他，對人說過：『此人是我的司馬相如。』可惜因爲病體孱弱，只有辭官。不巧，此時盧照鄰的父親去世。他悲痛萬分，號啕大哭，哭得把藥全吐了出來，病情一天比一天加重。除了病，他又窮，每天吃野菜湯，穿粗布衣。到了後來，雙脚痙攣，一隻手竟成爲殘廢。自個兒乾脆先挖好墳墓，還時常進去躺著。最後，跳潁水自殺而死。

盧照鄰這麼一個悲劇人物，曾經拜孫思邈爲師。他多愁善感，看到孫宅中有一棵病梨樹，引起同病相憐的心理，爲梨樹賦詩一首。雖然孫思邈沒能治好盧照鄰的病，可是他的仁心仁術使得盧照鄰十分感佩。或許一個人想要有強健的身體，除了生理健康，還要有心理健康。盧照鄰把藥吐了出來，難怪不易痊癒。

孫思邈除了勤研醫學，又積極吸取民間偏方，經常跋山涉水去親自請益。他曾說：『讀了三年書，便以爲天下無病可治，自以爲很懂了；可是治病三年，才知天下無方可用，不懂的還太多。』因此他極爲重視臨床經驗。

有一天，他走在路上，看到四人擡著一口棺木，一位老婆婆在棺木後哭得痛不欲生。原來棺木中躺的是她的獨生女兒，孫思邈發現棺木中滴出幾滴鮮血，大爲吃驚。問明病情之後，立刻呼叫『開棺』。

棺木打開之後，分明是個面無血色的死人。可是孫思邈選中部位，打了一針；不久，婦人慢慢甦醒，而且生出一個小孩，母子平安，衆人都呼他爲活神仙。

這不是奇蹟，而是孫思邈對婦產科極有研究。中國古代儒醫，基於重男輕女的觀念，大半不屑研究婦女病，孫思邈是醫學上創建婦產科之第一人。

此外，孫思邈在綜合治療中，特別重視針灸；在他所著的《明堂針灸圖中》特別介紹了針灸療法。

有一天，一位病人腿疼，孫思邈為他打針，那位病人被打了好幾針，還在喊痛。孫思邈心想，莫非除了三百六十五個穴道之外，還有新的穴位。於是，他用大拇指慢慢地按捏病人，一直問：『是不是這兒痛？』最後，他捏到某處，病人『啊，是……』地叫了起來。從此之後，痛在那兒，就在那兒針灸，隨痛點所在而定的穴位，都稱為『阿是穴』。

孫思邈不但精於醫術，更精於藥學。他經常上山採藥，反覆試驗，他的著作《千金要方》流傳千古，人們稱之為藥王。中國古代有許多醫學貢獻，可惜囿於『祖傳祕方』不能發揚光大，實在可惜。

閱讀心得

【第264篇】

白袍小將薛仁貴。

說到薛平貴或是薛仁貴，中國人都會發出會心的微笑，因爲這是人們最爲熟悉不過的歷史故事的要角。許多人把薛平貴與薛仁貴分不清楚，也有人誤以爲兩者爲同一個人。其實，薛平貴乃一虛構的人物，薛仁貴則爲正史之中有記載的唐朝名將。

在平劇『紅鬃烈馬』這齣戲之中，薛平貴是個落魄潦倒的乞丐，正巧碰上王丞相的女兒王寶釧拋繡球招親。他搶到了繡球，王丞相不願意把寶貝女兒嫁給這個窮小子，可是王寶釧卻毅然決然與薛平貴成親。

他二人婚後，生活十分艱苦，王丞相設計把薛平貴騙去打西涼，希望王寶釧可以改嫁。然而，王寶釧苦守寒窰十八載不改初衷，仰賴母親的暗中接濟過活。

薛平貴在西涼國被代戰公主給看上了，招爲駙馬爺，也忘記了苦守寒窰的王寶釧。有一天，薛平貴打下一隻雁子，雁子脚上繫著一封血書，原來是王寶釧寫的，他才想到回轉家鄉。

到了家門口，薛平貴非但不知道反省十八載來對於妻子不聞不問，反而裝成別的男人，故意調戲王寶釧，一試貞節。發現王寶釧果然秉守婦道，方才夫妻相認。最後，薛平貴打垮長安的軍隊，成爲唐朝皇帝。

這一段故事，經過戲劇的流傳，不少的人信以爲眞。尤其是苦守寒窰，忍受委屈，不怨不尤的王寶釧，成爲中國婦女的典型象徵。其實，史書之中並沒有這一段。唐朝是李家天下，從來沒有一個皇帝姓薛的。

薛仁貴征東的故事，也是流傳很廣，不過與正史記載之中的頗有出入。現在，我們就以新舊唐書爲本，爲大家介紹一下眞實的薛仁貴。

薛仁貴，絳州龍門人，少年時代家中貧賤，僅靠幾畝田爲生。有一年，他正準備改葬祖先墳墓，他的妻子柳氏對他說：『你有高世的才能，要碰到適當的機會才能夠發達。現在天子親征遼東，四方徵求猛將，此爲難得的時機，你何不前去求取功名？等到他日富貴還鄉，改葬祖先墳墓，也不至於像眼前這般寒傖。』

薛仁貴覺得柳氏這番話，正好說中他的心坎兒裡，當天就去投靠張士貴將軍。

他隨著張士貴的軍隊到了安地，這時劉郎將被賊兵圍困，薛仁貴一馬當先，把劉郎將自重重危機中搶救出來，而且殺了賊人首領，立下大功。從此，薛仁貴三個字漸漸被叫響了。

唐太宗親征遼東，高麗大將高延壽率領大軍二十萬拒戰，倚著山坡結屯。唐太宗發下命令：『諸將分別擊之。』

薛仁貴為著等這個在皇上面前表功的機會，已等了許久了，他有把握可以打勝這一戰，特意的打扮一番，換上一件簇新發亮的白色戰袍，手中拿著戟，腰旁掛著兩弓，腰紮得緊緊的，年輕英俊，氣宇軒昂。

唐太宗遠遠觀戰，只見一位白袍小將，大聲呼叫向前奔衝，武功高強，身手矯健，一路上所向披靡，賊人一潰而散，忍不住暗暗叫好。

唐太宗在年輕時代，也以驍悍、勇猛、年少氣盛著名。看到白袍小將正在馬上奔馳，彷彿看到當年的自己，唐太宗頓生英雄識英雄的惺惺相惜之感。他立刻派人去打聽：『先鋒白衣者爲誰？』『薛仁貴！』對方恭敬的回答。太宗馬上親自召見薛仁貴，賜馬兩匹，絹四十匹，大大誇獎了一番，而且破格拔擢爲游擊將軍兼雲泉府果毅。太宗一向最懂得任用人才，鼓勵人才，這又得到一次最好的證明。

征討遼東軍將還之時，唐太宗更勉勵薛仁貴道：『朕舊有的將領都老了，急於拔擢驍勇英雄，選來選去，沒有比卿更強的。朕不喜得遼東，喜得卿也。』又把薛仁貴升爲右領軍郎將。

因爲太宗的信任，薛仁貴更加眞心不貳。太宗去世之後，他又繼續効忠高宗。一次，高宗住宿在萬年宮，到了半夜，突然洪水暴漲，宿衛們都嚇得抱頭鼠竄，只有薛仁貴不肯走。他不滿的說：『做爲宿衛之士，天子有急難，豈可貪生怕死。』說著，他站在門前橫木之上大聲呼叫，驚動了宮內的人，高宗得以從容逃難還到高處。一會兒，洪水浸入了玄武門，沖死三千多人。高宗死裡逃生，對薛仁貴十分感激，感嘆道：『賴卿驚呼，朕方能免於淪溺，始知天下有忠臣也。』

顯慶二年，薛仁貴大破高麗。不久，他又將領兵攻擊九姓突厥於天山。臨行之前，唐高宗對他說：『古代善於射箭者，曾有一箭射穿七重鎧甲的紀錄，千古傳爲神技。卿試射五重鎧甲如何？』薛仁貴拉滿了弓，一箭過去，五張甲皮都穿了孔。高宗大爲讚賞，賜他一副最好的堅甲。

當時，九姓突厥有十餘萬之衆，派出十多名驍勇前來挑戰，還沒有搞清楚怎麼一回事，薛仁貴連發三矢，就射殺三人，其餘的人都看呆了，一塊兒下馬請降。因此，軍中流傳著一首歌謠：『將軍三箭定天山，戰士長歌入漢關。』

後來，薛仁貴受人牽累貶官。不久，高宗又思念其功，再度起用，率兵攻擊突厥於雲州。突厥問：『唐將爲誰？』唐兵回答：『薛仁貴！』突厥不相信道：『聽說薛將軍流放到象州之後，不久就死了。』

薛仁貴摘下頭盔，突厥們仔細一看後，相顧失色，這場仗也就不必再打了。

薛仁貴子孫五代都爲唐朝大將，不過他的兒子既非薛丁山，更沒有薛剛和薛蛟等人，那些都是歷史小說家所編造的。

閱讀心得

【第265篇】

小神童玄奘。

提起玄奘，大家一定會想到家喻戶曉的《西遊記》，花果山中的孫悟空、好吃懶做的豬八戒以及搖著一把芭蕉扇的牛魔王。對於唐三藏一行往西天取經，沿途遇到的妖魔鬼怪也一定留下深刻的印象。

不過，《西遊記》只是一部神怪小說，玄奘則確有其人，也曾經往西天取經，遇到許多驚險鏡頭。但是沒有孫悟空、沙悟淨相隨，更沒有魔女隨時想吃他那一身細皮嫩肉。

　　至於『孫悟空的七十二變』這種神話是如何創造出來的呢？那是在明朝時代有一個人叫吳承恩，江蘇人，從小聰敏機靈，十分好奇，喜歡偷看神怪傳奇。他的父親要他多讀經書，每次看到吳承恩在看這類稗官野史，馬上一把搶過書來，而且少不了一頓臭罵。

　　吳承恩爲躲避父親的干涉，每次弄到一本唐朝人或宋朝人寫的傳奇故事，立刻藏到一個隱密的角落，一口氣地把它看完。看得是津津有味，滿腦子都是神仙鬼怪。

　　後來，吳承恩漸漸長大了，在官場上頗爲不得志，熬了好一陣子，只做到一個小小的長興縣丞。又受不了官場上逢迎拍馬的腐朽風氣，恥爲五斗米折腰，一怒之下，拂袖回到鄉里。

當時，正是明朝萬曆初年，大奸臣嚴嵩當國，政治敗壞，人民苦不堪言。吳承恩又老又窮，隱居在鄉間，閒暇無事的時候，幼年的神怪故事浮上腦海。他不敢直言批評朝政，就創造出一個專好打抱不平，懷有絕世武功的孫悟空對抗天兵、天神。這些無能的天兵、天神，就是影射明朝昏庸的官吏。最後，明朝果然亡於流寇之手。

現在我們要介紹的是歷史上的玄奘法師，他不是一個說著話便淚如雨落，動不動即魂飛魄散，『耳朵軟』、『信邪風』、『聽讒言』的唐三藏。他是偉大的宗教家與探險家。

玄奘的本名是陳禕，生於隋文帝開皇十六年。他的父親陳慧，曾經擔任過隋朝的江陵縣令，因爲不滿意隋朝的措施辭官在家。

陳褘是陳慧第四個兒子，當他八歲的時候，父親開始爲他講解孝經。當父親說到『曾子避席』的時候，陳褘忽然從座位上猛然地站了起來，把父親嚇了一跳。

『曾子在聽老師說話的時候，一定避席站了起來。現在父親爲我講書，我怎能不起立呢？』

他的父親聽了他的話，十分感動，更加格外指導他求學。因此，陳褘小小年紀就以博學贏得了『神童』的美譽。

隋文帝晚年，因爲太子之爭情緒惡劣，大肆向人民搜括。所以陳褘很小的年紀，已經了解人間疾苦，他抱定志向，爲衆生解除苦難。

陳褘的二哥陳素，早在大業四年在洛陽淨土寺出家，法名叫『長提法師』。時常把陳褘帶到廟裏去住，使得陳褘對佛學產生了濃厚的興趣，立志做一名和尚。

在當時，當和尚不是一件容易的事，不像今天誰都可以剃度出家。隋朝政府規定，當和尚的人必須品格良好，學問淵博，經過考試，官方發給度牒（許可證）才可以出家當和尚。

陳褘十三歲那一年，煬帝下令招考二十七個和尚。有數百人參加應試，陳褘也在洛陽參加考試。不幸因爲年紀太小，名落孫山。

放榜的那一天，陳褘在榜前徘徊流連。主考官鄭善果看到這個眉清目秀的小孩，走過來問道：『你是那家的孩子？』

陳褘對鄭善果鞠了一個躬，很有禮貌地回答：『我的父親叫陳慧。』

鄭善果又說：『我問你，你小小年紀，爲什麼不立志做官，卻要出家當和尚呢？』

陳褘清朗的回答：『我希望當和尚，在佛經中啓發人們的智慧，解除人與人之間的自私與殘暴，希望每一個人珍惜自己的人生，更不要輕易毀滅別人的生命。』

鄭善果一聽之下，大爲吃驚，更讚賞陳褘的抱負，他簡直不敢相信這番話是出自一個十三歲的小孩子。

因此，鄭善果破例地把陳褘錄取，正式出家當和尚，法名叫『玄奘』。

鄭善果對友人說：『這孩子具有佛骨，日後會爲佛門帶來奇光的。』

玄奘跟著二哥，在淨土寺住了下來。由於他只有十三歲，廟裏的人都看不起這個小和尚。可是時間久了，人們才發現，小和尚對佛理的研究十分透徹。

在十年之中，玄奘讀完寺中全部經典。可是『學然後知不足』，他看書看得愈多，愈有更多的疑問。於是，他瞞著二哥，來到湖北的天皇寺。

在天皇寺住了半年，他又到了長安大覺寺，請教過許多高僧。他發現，高僧們都是各說各話，而且許多與他自己的想法不一。玄奘以為，這是由於佛經都是由天竺梵文（天竺即今天的印度）翻譯而來，不免有辭不達意、殘缺不全之處。所以玄奘發下願望——到天竺去取經，研究真正的佛經。

閱讀心得

【第266篇】

西遊記。

玄奘發現各個高僧對佛經的解釋不一，因爲佛經都是由天竺（即今印度）梵文翻譯過來，殘缺不全，他有意親自前往天竺，徹底研究佛經。此時唐朝剛剛建國，國內群雄尚未完全討平，與外國也還沒有正式建交。內外蒙古及新疆一帶歸服未久，所以嚴禁內外出入。

玄奘聯絡了幾個志同道合的和尚，向皇帝上書，請求皇上破格允許他們一行前往天竺。可是朝廷中的一些官員把表章給壓了下來，所以玄奘等人盼了又盼，不見回音，其他的和尚都打消了這個念頭。只有玄奘不死心，也不抱怨，利用時間猛讀天竺及西域的語文。

機會來了。唐太宗貞觀三年，長安城附近發生嚴重的蟲災雹災，農作物受到嚴重的損失。太宗下了一道緊急命令，要飢民迅速離開災區，往他地就食。玄奘混在飢民之中，悄悄溜到了河西走廊（今武威、張掖、酒泉、敦煌一帶）的門戶——涼州。

玄奘在涼州的寺廟講解，他的學問淵博，口才生動。短短一個月之中，玄奘的名聲已傳到西域各地。

此時，李大亮任涼州都督。李大亮是唐朝大將，具有文武才幹，為人忠心，唐太宗曾說：『當李大亮守夜之時，我便通夜安臥。』唐太宗嚴禁

人們出國，李大亮就嚴格把關。

有一天早上，守衛向李大亮報告：『有一個從長安來的和尚，想要到西域去，不知用意何在？』

『噢，竟有這種事？』李大亮馬上下令把玄奘送回長安。

幸虧玄奘得到慧威法師的暗中協助，晝伏夜行，好不容易到達瓜州（甘肅安西縣），向玉門關前進。

瓜州刺史很好心的指點玄奘『自此北走五十里，有一條瓠盧河，上廣下狹，水流很急，人馬難渡。過了玉門關之後，有一連五座烽火臺，各距一百里，途中沒有水草。烽火臺中有官兵日夜防守，如果你能走過五座烽火臺，再穿過八百里的流沙，就可以到達伊吾國了。』

如此艱困的路程，旁人一聽心就涼了大半，可是玄奘勇氣十足的繼續上路。

途中，玄奘碰到一個胡人，名叫『石槃陀』，很受玄奘的感動，願意受戒，拜玄奘爲師父，一同前往西天取經。（這大概就是吳承恩靈感的來源，從而創造了孫悟空、豬八戒、沙悟淨等人物。）

玄奘與新收弟子石槃陀出了玉門關，發現沿途比他們想像之中還要困難百倍、千倍、萬倍，尤其是沙漠之中的鬼魅熱風，每每致人於死。難怪在玄奘之前，也有不少高僧有意前往天竺，遇到熱風，想想保命要緊，犯不著在沙漠之中，當孤魂野鬼，又折返回去。

一天半夜，玄奘昏昏睡去。朦朧之中，彷彿看到有個人，拿著刀，正朝他一步一步走來。

等到走近了，才發現執刀者正是石槃陀。玄奘也不叫也不嚷，閉上眼睛，雙手合十，默念『阿彌陀佛』。

石槃陀走過來又走過去，踱了半天又回去睡了。

第二天一早，玄奘起來，若無其事的整理行裝，石槃陀沒精打采的坐在石頭上發呆。

過了許久，石槃陀鼓起勇氣對玄奘說：『再往前走，更加危險，沒有水草不說，萬一被烽火臺的守衛發現怎麼辦呢？』

玄奘在昨晚早已看出石槃陀有意打退堂鼓，他已深深懊悔一時感情衝動，答應玄奘來到這不毛之地。

玄奘乃出家人，慈悲爲懷。他也不責備石槃陀，揮揮手，讓石槃陀回去，獨自邁向艱苦的旅程。

走了八十里，烽火臺終於在望。玄奘白天不敢行動，到了晚上，摸黑前往。忽然間，看到一條小溪，他已經太久沒有見到水了，呼嚕呼嚕喝個痛快。正在把水灌滿皮袋時，樂極生悲，一支快箭『咻』的一聲閃過他的頭頂。

『糟糕，被發現了，』玄奘急中生智，搖手大喊：『我是從長安來的和尚，請你們不要射殺我。』

於是，守衛把玄奘逮住，引他去見守將王祥。

王祥碰巧也是個佛教徒，對玄奘不怕死的精神深表佩服，指引他一條直往第四烽臺的捷徑。同時告訴他第四烽臺的守將是王伯隴，正是王祥的兄弟，不會爲難他的。

玄奘順利的到了第四烽臺，王伯隴告訴他，『第五烽臺守將個性剛烈粗野，最好繞道野馬泉到伊吾國去。』

他謝過了王伯隴，繞過了第五烽臺，到達了戈壁大沙漠。風沙滾滾，一望無際，十分可怕。

玄奘四顧茫然，緩緩解下皮袋，準備喝一口寶貴的水，潤一潤乾枯的喉頭。沒想到，一不小心，皮袋掉到地上，剎那間，滾燙的細沙把水吸乾了。

這下眞是完了，走了一天、兩天、三天沒有一小滴水，舌燥唇枯，全身無力，肚子裏像有一盆火熊熊地燒著，彷彿一張嘴，就可噴出火焰。走著走著，馬也累了、渴了，走不動了，眼看著只有死路一條了。

閱讀心得

國家圖書館出版品預行編目資料

全新吳姐姐講歷史故事. 11. 唐代/吳涵碧 著.
--初版.--臺北市；皇冠，1995〔民84〕
面；公分（皇冠叢書；第2477種）
ISBN 978-957-33-1221-5（平裝）
1. 中國歷史

610.9　　84006928

皇冠叢書第2477種
第十一集【唐代】
全新吳姐姐講歷史故事〔注音本〕
作　者—吳涵碧
繪　圖—劉建志
發行人—平雲
出版發行—皇冠文化出版有限公司
台北市敦化北路120巷50號
電話◎02-27168888
郵撥帳號◎15261516號
皇冠出版社(香港)有限公司
香港銅鑼灣道180號百樂商業中心
19字樓1903室
電話◎2529-1778　傳真◎2527-0904
印　務—林佳燕
校　對—皇冠校對組
著作完成日期—1992年01月01日
香港發行日期—1995年09月25日
初版一刷日期—1995年10月01日
初版二十九刷日期—2021年05月
法律顧問—王惠光律師

讀者服務傳真專線◎02-27150507
電腦編號◎350011
ISBN◎978-957-33-1221-5
Printed in Taiwan
本書定價◎新台幣150元/港幣45元